NORSKE ESSAYISTER

NORSKE ESSAYISTER

SIGURD HOEL

Litterære essays

Redaktør
Helge Nordahl

DREYER
Det Norske Akademi for Sprog og Litteratur

© Dreyers Forlag A/S 1990

Alle henvendelser om rettigheter til denne bok stiles til:
Dreyers Forlag A/S
Fred. Olsensgt. 5
Postboks 1153 Sentrum
0107 Oslo 1

Omslag: GRID Strategisk Design
i samarbeid med Ken Friedman Design

ISBN 82-09-10629-9

Sats: Hamar Maskinsetteri
Trykk: Norbok a.s, Oslo/Gjøvik 1990

Redaksjon for serien *Norske essayister:*
Helge Nordahl, Øistein Parmann,
Bernt Vestre, Asbjørn Aarnes

Essayet og essayistene

Essayet har godt og vel 400 års historie bak seg i europeisk kulturtradisjon. Genrebenevnelsen «essay» ble brukt for første gang i 1580 av den franske filosof Michel de Montaigne om de selvbiografiske refleksjoner han dengang utgav. Siden har essayet hatt en rik utvikling i Europa. Det er først og fremst i den engelsksproglige litteratur at essayet har hatt en sentral plass, men det ruver også i fransk litteratur, – og det er meget betydelig i vår norske litteratur. Å samle interessen om det beste i den rike norske essayskatt er derfor et både naturlig og nærliggende formål. Det er dette Det Norske Akademi for Sprog og Litteratur, i samarbeide med Dreyers Forlag og Thorleif Dahls fond, vil søke å slå et slag for med den essayist-serie, hvis utgivelse begynner med dette bind.

Når en rik litterær genre har fylt 400 år, bør det vel kunne forutsettes at den har fått sin klare genremessige definisjon? Nei, det er nok ikke så helt sikkert! Hør bare hva Joseph Shiply sier i sitt *Dictionary of World Literature*, s. 145: «What the essay is has never been precisely determined.» At den autoritative definisjon mangler, fritar ikke oss fra å reflektere litt over essayets særkarakter og foreslå noen tentative synspunkter på genren.

1. Et essay er et litterært *prosa*-verk.

Denne påstand er relativt vanntett: Essaylitteraturen er i nesten eksklusiv grad en prosa-genre. Men den har ikke alltid vært det. Den engelske dikter Alexander Pope skrev sitt berømte *Essay on Man*, (1732–34) på vers, men idag ville man saktens ikke oppfatte dette verk som et essay. Et essay er for oss nærmest unntagelsesløst et verk på *prosa*. Det betyr ikke at det er eller skal være *prosaisk*. Et av essayets indre spenningsmomenter ligger nettopp i dette: Det er en ikke-prosaisk prosa-genre.

5

2. Et essay er emne-orientert.

Essayet er emne-orientert, saks-rettet, tema-bundet. Det har et klart emne, et klart objekt, som vanligvis er valgt innenfor en filosofisk, litterær, humanistisk, moralsk eller estetisk tematikk. Emnet studeres, objektet analyseres, men det vurderes alltid av et levende og reflekterende subjekt. En del av essayets fruktbare spenningsforhold ligger nettopp i denne konfliktmulighet mellom det objektive og det subjektive.

3. Et essay er kortfattet.

Et essay skal og må være relativt kortfattet. Det skal forholde seg til *avhandlingen* omtrent som *novellen* til *romanen.* Riktignok er alt relativt, og bare de modigste vil forsøke å fiksere noen øvre grense for essayets lengde. Vår mening er at det veldreide essay klarer seg med mindre enn 20 sider. Essayet er underlagt en klar begrensning i volum. Til gjengjeld anerkjenner det intet begrensende prinsipp for vidd.

4. Et essay er analytisk og artistisk.

Objekt-aspektet ved essayet oppfordrer til analyse, til saklig og reell refleksjon over et objektivt fenomen, dets komponenter og deres kombinasjonsmuligheter. Men dermed er ikke alt sagt. Redusert til sin analytiske komponent ville essayet forfalle til avhandling, artikkel. Essayet er en usedvanlig krevende genre nettopp fordi det krever av essayisten at han skal være, samtidig, analyserende artist og artistisk analytiker. Og faktisk er kravet enda litt skarpere enn dette: Essayet krever en artistisk stil, som aldri forfaller til artisteri. Det stilles altså samtidig krav til forstandighet, skarphet, kunstnerisk begavelse og god smak.

5. Et essay er innholds-mettet form og form-mettet innhold.

De tre litterære hoved-genre lyrikk, dramatikk og epos stiller krav til både form og innhold. Et harmonisert og avbalansert forhold mellom form og innhold tilstrebes: Formen er nemlig en del av innholdet, og innholdet preger valget av de formelle virkemidler. Form er innhold, innhold krever sin form. Det lavmælte essay må tilstrebe det samme balanseforhold mellom form og innhold som de tre store hovedgenre.

Hvordan man enn søker å fremheve enkelte særtrekk ved essayet, ser man at enhver forestilling automatisk fremkaller sin egen motforestilling: Et ikke-prosaisk prosaverk, objekt-orientert, men subjekt-skapt, begrenset i volum, ubegrenset i vidd, analytisk og artistisk, vel-formet innhold og innholdsbærende form. Intet under at det har vært så vanskelig å enes om en definisjon. Essayets dilemma synes å være det at det til enhver tid må forene en rekke konflikterende hensyn, som innskrives i motsetningsparenes perspektiv. Ut fra essayets krav ville det nok være meget realistisk å oppfatte opposisjonsparene som komplementære par.

Den krevende essay-genre har en rik historie i Norge. Mange av våre store diktere er fremragende essayister: Ludvig Holberg, J.S. Wel-haven, Camilla Collett, Gunnar Heiberg, Knut Hamsun, Nils Kjær, Hans E. Kinck, Sigrid Undset, Arnulf Øverland, Helge Krog, Sigurd Hoel, Alf Larsen, Gunnar Reiss-Andersen, Aasmund Brynildsen, André Bjerke, for bare å nevne noen. Lyrikere, dramatikere og epikere søker alle frem til essayet og dyrker det. Også lærde humanister og este-tikere har følt fristelsen fra essayet: Arne Løchen, Gerhard Gran, Fran-cis Bull, Fredrik Paasche og A.H. Winsnes, på den ene side, og C.W. Schnitler, Jens Thiis, Harry Fett og H.P. L'Orange på den andre. Samfunnslærde som dr. Sigurd Ibsen og komponister som Edvard Grieg er også fremragende essayister. Det finnes ingen eksklusiv konge-vei til essayet. Men man kan vel trygt konstatere at det er diktere, humanister og estetikere som har dyrket denne krevende genre med størst hell i Norge.

Det er disse tyngdepunkter i den norske essaytradisjon vi vil forsøke å videreformidle i den essayistserie som nu innledes. Ingen vil vel tro at det er lett å velge og vrake i den rike tradisjon vi har: Vi velger i glede og vraker i sorg. Den utvelgende part har i sannhet det som på fransk kalles *l'embarras du choix*, valgets kval. Det er vanskelig – om ikke umulig – å redegjøre for valgets kriterier i detalj. La oss si det slik: Vi har – i det store perspektiv – forsøkt å forene to hensyn. Vi har vil-let bevare og videreformidle det som en takknemlig eftertid nok vil være enig om å oppfatte som det mest verdifulle, og vi har søkt å gjen-opplive det som vi mener har vært glemt, med urette. Det siste har ikke vært den minst interessante del av oppgaven.

Helge Nordahl

Redaktørens forord

Sigurd Hoel har efterlatt seg et imponerende skjønnlitterærtforfatter-skap. En dikter var han, men ikke noen gammeldags dikter som levet fornemt tilbaketrukket i sitt elfenbenstårn. Han levet med, aktivt og engasjert, i sin samtid, og hans rike engasjement fant stadig skriftlige uttrykk i en omfattende produksjon av artikler, essays, kommentarer og inserater. La oss minne om at han i 1920-årene var fast medarbeider i *Arbeiderbladet*, mens han i 30-årene var knyttet til *Dagbladet*. I efter-krigstiden skrev han mer sporadisk i *Arbeiderbladet*, *Dagbladet* og *Verdens Gang*. Han var dessuten en flittig bidragsyder til *Samtiden* og andre tidsskrifter. Omfanget av denne del av hans produksjon er nesten umå-lelig. Det mest verdifulle av den er utgitt i fire store samlinger: *Tanker i mørketid*, 1945, *Tanker fra mange tider*, 1948, *Tanker mellom barken og veden*, 1952, og *Tanker om norsk diktning*, 1955. I tillegg til disse fire bind fikk vi i 1980, fra litteraturforskeren Leif Longums hånd, et ver-difullt bidrag under tittelen *Ettertanker*, med undertittelen *Etterlatte essays og artikler*. I denne samlingen har litteraturforskeren hentet frem fra glemselen, den ofte så urettferdige glemsel, viktige deler av Sigurd Hoels essayistiske forfatterskap. Det var i første rekke disse fem bind redaktøren av foreliggende utvalg måtte forholde seg til og basere sitt utvalg på. Vi gikk til arbeidet med stor spenning. Det var en utfordring å lese Sigurd Hoel igjen med et slikt siktepunkt for øyet.

Svarte så lesningen til forventningene? Både ja og nei. Det første som slo oss – og med ubønnhørlig kraft – var det forhold at den som skal foreta et slikt utvalg, tvinges til å tenke over begrepene *tidbundet* og *tidløs* litteratur. De essays – eller kanskje snarere artikler – som er skrevet som engasjerte partsinnlegg i en aktuell debatt, vil ofte virke fjerne og bleke, såsnart den aktuelle situasjon – efter kanskje bare en ukes tid – er blitt fortid. Når det aktuelle er blitt uaktuelt, er det uten appell. Dertil kommer at den artistiske siden ved innlegget ofte er blitt neglisjert, fordi situasjonen har krevet et hårdt og raskt og kontant arbeide. De tanker som ikke er forankret i den dagsaktuelle realitet, har større interesse for eftertiden. Filosofiske meditasjoner, generelle refleksjoner, litterære portretter, utformet med analytisk klarhet og artistisk eleganse, har større krav på et forlenget liv. Dette er hovedgrunnen til at vi i dette utvalg har konsentrert oppmerksomheten om Sigurd Hoels litterære portretter av norske diktere. Hertil kommer et essay om Bernard Shaw's *Jeanne D'Arc*, først og fremst fordi det er et usedvanlig veldreiet essay, men også fordi det kanskje for mange vil formidle et nytt bidrag til Sigurd Hoel-billedet. Av samme grunn er de to siste essays om *Jødene* og om *Den hellige, alminnelige Kirke*, tatt med.

Er dette å fortegne billedet av Sigurd Hoel? Raderer vi ut viktige trekk i hans profil? Nei, vi mener at vi fjerner det tidbundne og fremhever det tidløse. Det er vår tro at Sigurd Hoel ville ha forstått og satt pris på en slik fremgangsmåte, ja, at han selv ville ha kunnet formulere omtrent de samme synspunkter, men saktens i en mer kombattant og temperamentsfull spogform. Ja, han har faktisk allerede gjort det. La oss høre hva han selv sier om disse problemer i forordene til *Tanker i mørketid* og *Tanker mellom barken og veden*.

«Alt som er skrevet i denne boken, er skrevet for dagen, i aktuelt ærende. Har det fremdeles noen verdi, så er det en aktuell verdi. La meg til slutt få uttrykke det håp, at utviklingen snart må berøve boken hvert grann av aktualitet.» (*Tanker i mørketid*).

«De artiklene og foredragene som er samlet i denne boken, er blitt til i løpet av femten år, fra 1937 til 1952.

Det meste er skrevet fort, i en eller annen aktuell situasjon.

Som regel vil slike innlegg bli preget av øieblikket, i så vidt sterk grad at de efter et års tid er minst like foreldet som en like gammel avis.» (*Tanker mellom barken og veden*).

Det som er skrevet i «aktuelt ærende», er altså antikvert såsnart den aktuelle situasjon er blitt historie eller glemt. Dette er hovedgrunnen til at vi har prioritert de tidløse betraktninger og de litterære portretter fremfor den politiske artikkel-litteratur.

De litterære portretter er – med én unntagelse – hentet fra norsk litteratur. Vi har også tatt med to litterære genre-essays: om sagalitteraturen og eventyrene. Disse verk er kjente og anerkjente og siteres stadig. Og Sigurd Hoels portretter av våre store diktere: Ludvig Holberg, Henrik Ibsen, Alexander Kielland, Gunnar Heiberg . . . og videre frem til de samtidige diktere er fremdeles verdifull og inspirerende lesning. Smil og alvor, refleksjoner og impresjoner, innsikt og overblikk lever frydefullt sammen i denne rike portretteringskunst. Sigurd Hoel har alle betingelser for å karakterisere en dikterbror fulltonende og med fulltreffere. Han bruker gjerne en antitetisk, paradoksal formulering som kan leve lenge i leserens minne som en helt avgjørende karakteristikk. For oss vanlige lesere er det et privilegium å møte våre store diktere sett gjennom en moderne stor forfatters øyne. Vi håper og tror at mange av våre lesere vil møte Sigurd Hoel nettopp slik i dette foreliggende utvalg. Her burde være noe for enhver smak, for repertoiret går fra sagalitteratur og eventyrskatt til den helt moderne litteratur.

Vi gir også plass i utvalget for tre artikler som overskrider grensene for norsk litteratur: Det velskrevne essay om *Jeanne D'Arc*, essayet om *Jødene*, fordi det kretser om et problem som samtidig er tidbundet og tidløst – og fordi man der møter Sigurd Hoel som ubønnhørlig engasjert polemiker –, og essayet om *Den hellige, alminnelige kirke*, fordi det nok desidert faller utenfor rammen av det vanlige og feilaktige Sigurd Hoel-billedet.

Hva mener vi med det skolemesteraktige uttrykk «det feilaktige Sigurd Hoel-billedet»? Vi hentyder med det til det populære og overfladiske billedet av dikteren som en selvsikker Oslo-herre i skreddersydd eleganse, skolert i naturvitenskapens skarpslepne skole, den ubønnhørlige replikkens mester, aforistikeren som glimret ved utallige kafé- og restaurantbord i Oslo. Vi sikter til det billedet som hans tremenning Inger Hagerup nok har vært med på å forme, da hun skrev sitt dikt: «Nærgående brev til Sigurd Hoel og hans tid». Slik begynte det:

11

Legg din maske ned et sekund, Sigurd Hoel,
på ett av de mange ødslige Oslo-kafébord
fra mellomkrigstiden, der hvor ordene falt
presise som øksehugg, snerrende av logikk,
og hvor hver mann var aforistiker av fag.

Karakteristikken er skarp, – og urettferdig. Det mente i alle fall lyrike-
ren Sigurd Bodvar, som skrev et dikt for å imøtegå Inger Hagerups dikt
om dikteren:
Slik slutter det:

Inger Hagerup kjente godt sin tremenning
fra bordenes pjoltere, det begavede prat.
Men hadde hun egentlig bruk for ham?
Det hadde Bodvar. Det gir et annet bilde.

Jeg vedgår at jeg trengte ham sårt.
Han var ung. Han var klok.
Medlem av Mot Dag. Hans generøsitet, hans godhet,
hans fine hensyn. Slik kjente jeg Hoel.

Det vanlige Hoel-billedet er nok forenklet, ofte likt Inger Hagerups.
Bodvar bringer inn en viktig berikelse. Det er nok klart at alle intel-
ligensens kvaliteter var tilstede i rikt monn hos Sigurd Hoel. Men det
var også andre gaver i hans personlighet: Vidd, varme, vennskap, vis-
dom. Og han hadde vismannens forkjærlighet for aforismen. Inger
Hagerup har fullkomment rett i at han var aforistiker av rang. Og la oss
så slutte med en refleksjon inspirert av fire av hans aforismer, hentet
fra hans romaner og essays. I samtlige fire konfronteres ratio med ikke-
ratio, og det dypt forunderlige er det at «realisten» Hoel hele tiden
synes å helle mot ikke-ratio. Hør nu bare:

Og livets veier er merkelige. Av mørket som av og til steg opp fra kjellerne i hans egen sjel, hadde han hentet øket kraft til sin kamp for lyset.

(Sesam, Sesam, s. 121)

Fornuft kan bare propaganderes ved magi.

(Sesam, Sesam, s. 288)

Det underlige er at tidligere tiders opplysning ofte synes pinlig flat, mens tidligere tiders overtro av og til rommer dybder av sannhet.

(Tanker fra mange tider, s. 177)

Og så lar vi den muntre vismann avslutte med følgende refleksjon fra Tanker fra mange tider, s. 6. Skal tro om den ikke treffer både dikteren og hans lesere i vårt kompliserte forhold til fornuft og ikke-fornuft i livet?

Når en moderne forretningsmann styrer sin Rolls Royce gjennom trafikken, er han et billede på nutiden. Når han skvetter hvis en svart katt går over veien, hva da?

Til slutt et ord om den felles formelle disposisjon for bindene i Essayist-serien: De forskjellige essay-utvalg vil bli innledet av et *Redaktørens forord*, og avsluttet med et *Essay om essayisten*, skrevet av en forfatter eller kritiker. I dette bind kan vi presentere Philip Houms essay om Sigurd Hoel: *Stridsmannen*. Philip Houm var så elskverdig å skrive dette essay på oppfordring av vårt Akademi. Det er anlagt slik at det vil utfylle billedet av essayisten Sigurd Hoel på en utmerket måte, idet forfatterens totale essayproduksjon behandles og analyseres. *Det Norske Akademi for Sprog og Litteratur* publiserer Philip Houms essay i takknemlighet, – og med vemod –, for essayet *Stridsmannen* er det siste arbeide Philip Houm fikk ferdig før sin død.

Helge Nordahl

13

Glimt av saga

1930

Litteraturhistorien kan sees på mange måter. Det lar seg gjøre å se den som et landskap. For den som hører hjemme i Norge blir det da gjerne et norsk landskap. Nede i lavlandet har vi nutidens litteratur. Naturen der kan være vakker, men det er alt i alt en matnyttig natur, den gir grunnlag for næringsveier. Der fins en ganske tett befolkning – fabrikker, storgårder, småbruk og husmannsplasser. Handelsreisende og vagabonder kan treffes på veiene, sangfugler synger av og til i trærne. Der fins en mengde krøtter som melker godt. Andre egner seg bra til slakt. Stutene blir sinte når de ser rødt.

Eftersom vi går innover i landet, blir landskapet villere. Oppe i avdalene stikker de nokså meget med kniv, og konen tar likskjorten til mannen med når de skal i bryllup. Her oppe gror eventyret og folkevisen.

Vi går videre. Vi kommer til selve fjellet. Jorden er mager, men det fins nok av fisk og vilt. Det er langt mellom gårdene, men det ser ut som folkene trives ved det. Bjørn tasser omkring og blir veidet med spyd. Hver mann eier det han kan verge med våpen. Fosser gauler, falk og ravn flyver. Livet er friskt, men hardt. Manns ære forsvares med sverd, men kunst og visdom er også gode idretter. De beste dør unge, men lever lenge.

Bakenom fins det enda et landskap, det kan skimtes som fjerne blåfjell. Den eldre Edda. Ørn svever over jøklene, men få menn har vært der. Det sies at det ligger våpen og benrader fra store ofringer der inne.

*

*

Som alle vet, er det – blant meget annet – især én påfallende forskjell mellom de gamle sagaer og de moderne romaner. Sagaen handler vesentlig om menns krigerske eventyr, om deres feider med andre menn; romanen forteller mest om menns eventyr og feider med kvinner.

Det er mange årsaker som løper sammen og skaper denne forskjellen. Noe av det viktigste er en forskyvning i oppfatningen av hva som sømmer seg. De gamle syntes at langvarig og smektende snakk om elskov var ikke bare umandig, men direkte usømmelig. Skulle man uttale seg om de ting, burde det skje kort og kraftig.

Vårt tids bønder er – også på det område – arvtagere av sagatidens tradisjoner.

Allikevel er forskjellen mellom sagaen og romanen så påfallende, at det uvilkårlig melder seg en rekke spørsmål. For eksempel: Hvis man går ut fra at sagaen gir et litt galt billede av gamle tiders liv derved at den snakker for lite om erotikken, gir så ikke romanen et like galt billede av nutidens liv ved å snakke for meget om den?

Er den ikke litt kunstig, vår tids erotiske diktning? Og gir den ikke anledning til adskillig kunstig forelskelse? Unge menneskers forelskelse suger næring av litteraturen og vokser seg altfor stor; og litteraturen suger næring av unge menneskers forelskelse og vokser seg altfor stor. Til slutt blir det ikke plass til annet her i verden enn unge menneskers forelskelse og litteraturen derom . . .

Sigurd Ibsen filosoferte en gang over dette tema. Han mente at diktningen forfalsket livet ved å gi kjærligheten altfor stor plass.

Hadde han rett? Sigmund Freud kom med sin psykoanalyse og sa: Kjærligheten, eros, er grunndriften i tilværelsen; og hvis den får større plass hos dikterne enn i dagliglivet, så er det ikke dagliglivet som har rett, men dikterne.

Der står vi. Og vender vi oss atter til sagaen, så kan vi da bare spørre: Er det sagaen som fortier erotikken, eller var våre forfedre mere kaldsindige udi slike ting enn vi? Vi leser i den ene og den annen saga, at unge menn handlet til seg en husfrue omtrent som om hun skulle

16

vært en hest eller en kvige. Men hva *følte* den unge herre derved? Derom melder sagaen lite eller intet. Litt står det nå mellom linjene allikevel. For om det var forbudt å snakke utførlig om kjærlighet, så var det tillatt å fortelle med alle detaljer om det hat og den hevn som kjærligheten med tilhørende sjalusi voldte. På denne indirekte måten får vi virkelig vite en del. Drevet av de ømmeste følelser stakk sagaheltene hverandre ned i hellig iver. Selve kjærligheten bidro på den måten til å hindre overbefolkning på øya.

*

De gamle islendinger var krigere og jurister. En god halvdel av sagaene forteller om drap; en liten fjerdepart om ting-tretter. Resten forteller om alt det andre som også hørte livet til.

Av og til kan vi få helt henrivende billeder av de gamle bondejuristene. I *Eyrbyggja saga* fortelles det om en gård som ble plaget av gjengangere. Det hendte at de døde kom inn i hele flokker om kvelden og satte seg rundt varmen, så de stakkars levende ikke kom borttil. Da gikk det bud efter en lovkyndig mann, som anla rettssak mot dødningene og til slutt foretok lovformelig utkastelse på dem. Så ble det fred på gården . . .

De gamles rettssans stilles ellers ikke i noe særlig vakkert lys av sagaens. Hvis en mann vinner en rettssak eller en krangel, så går han ut av den med øket anseelse, likegyldig om han har hatt åpenbar urett og har opptrådt som en simpel skurk. Vi møter her en vurdering så primitiv at den rent ut kan minne om moderne politikk.

Men alt dette er på sett og vis mindre vesentlig. Det vesentlige, det nær sagt mirakuløse ved sagaen er stilen. Det er en fortellende stil så knapp og klar, så ren i sin tone, så stillferdig i sin ironi, så fåmælt og sikker i sin patos, at det er tillatt å si: Prosaens fortelle-kunst har aldri nådd høyere, før eller siden.

Hvordan kan den ha oppstått, denne fine og sikre stilen?

For det første forutsetter den *tid* – en lang og ubrutt utvikling. Sagastilen er forsåvidt i slekt med den gamle nordiske skips-byggekunsten.

17

Når vi ser Osebergskipet, så vet vi uten videre, at det må ha levd mange generasjoner av båtbyggere forut for den skipsbyggeren. Men det er ikke nok. En sikker stilkunst forutsetter en sikker livsstil. En viss harmoni må være oppnådd mellom naturen og menneskenes levevis. Skikk og bruk, takt og tone mann og mann imellom må ha fått ro til å festne seg. Og der må ha dannet seg ordnede miljøer av likemenn, folk med noenlunde samme kunnskaper og ferdigheter og med samme slags mål på livsverdiene.

Dette faste miljøet av frie menn er en forutsetning for sagastilen. Fortelleren kunne la mange ting være usagt, andre ting trengte han bare å antyde. Han ble forstått allikevel.

På mange måter arbeider vår tids romanforfatter under langt ugunstigere vilkår. Han vender seg til folk han ikke kjenner, og til miljøer som er vidt forskjellige og som stadig forandrer seg. De fleste av de ting han forteller om er også under stadig forandring. Selv er han under påvirkning fra et virvar av krefter – alle slags livssyn og vurderinger krysser hverandre i ham, ofte uten at han selv aner det. Under de forhold må han være mere enn heldig, om hans verk skal overleve ham selv. Som regel vil det efter få år bare minne om avisen fra i forgårs.

Det er noe svampete ved nesten alle nutidsromaner. De *ruver*, som det heter, og renner av blekk og tårer. Kunne man kryste ut av dem den overflødige delen av samme, ville de som oftest bli ganske små. Efter noen år er de det tørreste av alt, en tørr svamp.

Sagaen er tett og fast, og likevel full av saft. Den nevnte *Eyrbyggja saga* er et godt eksempel. Den hører ellers ikke til de store sagaene – hverken mennene eller hendelsene er av de største. Men *måten* . . .

En kald og klok skurk, Snorre gode, er hovedpersonen i sagaen. Rolig, uten ros og uten daddel viser sagaen oss falskheten, begjærligheten og misunnelsen hans – viser oss beregningene, skurkestrekene og de sinnrike intrigene. Flauberts berømte skildring av Madame Bovary var ikke sikrere, kjøligere, mere kunstnerisk behersket og overlegen enn den anonyme sagafortellers beretning om den islandske reven og sambygdingene hans.

Her er et lite billede av gammelt islandsk dagligliv:

«Sauegjeteren til Snorre gode hadde sett striden på Vigrafjorden. Han fór straks hjem og sa at det hadde vært en lite fredelig strid ute på Vigrafjorden den dagen. Snorre og hans folk tok våpen og fór elleve mann inn til fjorden. Da de kom dit, var Steintor og følget hans vekk fra isen og var kommet opp på land. Snorre og hans menn så efter sårene på dem, som var falt. Ingen hadde latt livet uten Freystein skurk, men alle hadde nesten ulivssår. Torleiv Kimbe ropte til Snorre gode, at han skulle sette efter Steintor-flokken og ikke la noen komme unna. Snorre gikk dit Bergtor hadde ligget; der var en stor blodflekk. Han tok og knadde blodet og sneen sammen i hånden; så stakk han det i munnen og spurte hvem som hadde blødd der. Torleiv Kimbe sier at det er Bergtor. Snorre sier at det var blod fra magehulen. «Det kan nok være,» sier Torleiv, «for det kommer fra spydsår.» «Det tror jeg,» sa Snorre, «at dette er feig manns blod. Derfor trenger vi ikke sette efter dem.» Så ble Torbrandssønnene ført til Helgefjell, og der bandt de om sårene deres. Torodd Torbrandsson hadde så stort sår på halsen, at han ikke kunne holde hodet rett. Han hadde lestebrok, og den var helt våt av blod. En av Snorres gode hjemmemenn skulle dra den av ham. Han rykket i buksen, men fikk den ikke av. Da sa han: «Ikke er det løgn om dere Torbrandssønner at dere er ulik andre folk i klærne. De er så trange at en ikke får kledd av dere.» Torodd sa: «Du tar nok for lite i.» Så satte mannen foten mot sengestokken og dro av all makt; men buksene gikk ikke. Da gikk Snorre gode bort og kjente på foten. Han kjente, at en spydodd sto gjennom foten mellom hælsenen og leggen, og den hadde gjort buksene fast til foten. Snorre sa at hjemmemannen ikke var noen liten tosk, som ikke var kommet på slikt.

Snorre Torbrandsson var den friskeste av brødrene. Om kvelden satt han sammen med navnen sin ved bordet. De fikk melk og ost. Snorre gode så at navnen hans tok lite til seg av osten, og spurte hvorfor det gikk så sent med maten. Da svarte Snorre Torbrandsson at lammene åt minst med det samme de fikk kjevle i munnen. Snorre gode kjente på strupen hans og kom bort i en pil som sto gjennom strupen og tungeroten. Snorre gode tok en knipetang og rykket pilen ut. Siden fikk Snorre Torbrandsson maten ned.»

19

Sagaen er neppe nedskrevet av noen prest. Vi leser:

«Presten hadde sagt at hver mann skulle få rom i himmelen til så mange mann som kunne stå i den kirken han lot bygge; dette drev mange til å bygge kirker.» De var kloke, prestene i gammel tid. Men de ble også iakttatt av kloke folk.

*

I en gruppe for seg står sagaene om skaldene.

Det var mange islandske skalder, som vi vet – men ikke alle skaldene var det vi kaller diktere. Skaldekunsten var blitt litt av en islandsk næringsvei; og når kunst gir næring, lurer det seg alltid en rekke dårlige håndverkere inn i faget. Dertil kom at tidens innviklede regler for bunden form ga mere plass for teknikk enn for følelser, og hadde mere bruk for oppfinnsomhet enn for fantasi. For oss er det meste av denne «diktningen» bare en tanketom, åndsforlatt lek med bokstavrim og kunstige billeder. Skaldeverset kommer derved i et eiendommelig motsetningsforhold til sagaens enkle, nøkterne prosa. Men disse versene var nå engang den vedtatte uttrykksform de gamle tydde til når de ville skryte – av seg selv eller andre. Og den som kunne snekre sammen et brukbart smigredikt om en konge eller jarl, hadde godt håp om å bli hoffpoet og hirdmann og dermed vel forsørget, til krig eller krangel gjorde en brå ende på diktningen.

Et godt eksempel på et slikt skaldevers kan atter hentes fra *Eyrbyggja saga*. Det er en mann der som heter Torgrim. Han blir av alle ansett som feig og kvinnaktig. Men ved en leilighet blir han så grovt ertet at han griper til sverdet. Det blir han så kry over, at han eksploderer i en mengde vers, som alle lyder omtrent som dette:

> Sverdguder søkte meg,
> stridsmenn våget livet.
> Skjolddekte menn såret
> sverdet i mitt tun;
> av oss fikk Odins ætt

20

ingen gode vilkår.
Sent og trått slet jeg
sverdenes ville lek.

Når sagaen om skaldene har sin særegne interesse, så kommer det med andre ord ikke av versene. Men noen av disse skaldene var allikevel ekte diktere. Og om dikterne gjelder det – hva man ellers kan si om dem – at de er sjelden så dydige at de blir kjedelige. Det gjelder en ting til om mange av dem: Kjærligheten spiller en stor rolle i deres liv. Den spiller ofte en så stor rolle, at sagamannen til en viss grad blir tvunget til å gå ut over grensen for det sømmelige og virkelig fortelle om denne kjærligheten.

Minst gjelder dette om den største av sagatidens diktere, selve Egil Skallagrimsson. Skal vi tro sagaen, så var Egil først og fremst en pengekjær og maktkjær mann, en god hater og en veldig slagsbror. Da han på sine gamle dager kveder om seg selv, så er det ikke erotiske bedrifter han synger om. Derimot roser han seg av den sinnets fasthet som alltid hadde satt ham i stand til av usikre venner å gjøre sikre fiender.

Men aller først og fremst var han den største dikter i gammel tid. De bruddstykker av hans dikt som er bevart, brummer mot oss som et fjernt tordenvær. Egil Skallagrimsson er den største mann som oppsto i sagatidens Island – diger som en jette, vis som selve Odin. I en liten artikkel som denne er det bare én ting å gjøre med ham – å gå utenom ham i en ærbødig bue.

Det fins to andre skalde-sagaer som også bare skal nevnes. Det er sagaen om Gisle Sursson, og sagaen om Gunlaug Ormstunge og Skalde-Ravn. De to sagaene handler begge om kjærlighet og drap, og begge er på sitt vis fullkomne. Sagaen om Gunlaug er blitt kalt den fineste kjærlighetshistorie på nordisk språk. Det skal iallfall være vanskelig å nevne en som er finere. Skalde-Ravn sier en gang til Gunlaug at det sømmer seg ikke for dem å bli uvenner for en kvinnes skyld, «det er mange slike gode koner syd for havet.» Gunlaug svarer bare: «Det kan være at de er mange; men for meg synes det ikke så.»

Gunlaug er enkel i sitt følelsesliv og ingen merkelig skald. Ravn og

21

Gisle er mere sammensatte naturer og bedre diktere. Men i sine følelser for den kvinnen de har valgt seg er også de hele og enkle.

Men så har vi andre skalde-sagaer! Og de viser oss dikterne som et ugreit og innviklet, heftig og upålitelig, engstelig og lengselsfullt, ømt og kranglevorent folkeferd. De vil nødig binde seg til den de elsker; men tar hun så en annen, da skal vi si det blir jammer. Kormak skriver glødende kjærlighetsdikt til den elskede Steingerd; men hver gang en virkelig leilighet byr seg, sørger han for å ligge på den andre siden av veggen. Stort annerledes er det ikke med de andre heller. De fester seg en kvinne; så drar de utenlands en to-tre år, som om fanden var i hælene på dem, og feirer triumfer ved kongers og jarlers hoff. Det ene med det andre – de har en egen evne til å komme et år eller to for sent til sitt eget bryllup; og når de så kommer, og piken i mellomtiden er blitt gift med en annen, så begynner hatet og diktningen å blomstre.

Sympatiske kan man neppe kalle disse dikterne. De er forfengelige, trettekjære, sladreglade, ondskapsfulle og uredelige – merkelig, hvordan standen har skiftet karakter på bare tusen år!

Tormod Kolbrunarskald var en meget kvinnekjær mann – en utpreget slagsbror også, forresten. Han skrev en rekke kjærlighetsdikt til en mørk pike som hette Torbjørg og som ble kalt Kolbrun. Diktene gjorde lykke hos piken. Men en stund efter traff han en annen pike, Tordis, som han hadde beilet til tidligere. Nå slo hun på nakken – hun hadde hørt om Kolbrunar-visene. Da sa Tormod: «Det er ikke sant at det er henne jeg har laget kvede om. Jeg kom i hug hvor langt det var mellom din fagerhet og Torbjørgs, og så laget jeg et lovkvede om deg.»

Dermed sier han opp Kolbrunar-visene, men retter på dem, så de kan passe på Tordis. Og Tordis og han ble venner igjen som de før hadde vært, står det.

Men den gikk allikevel ikke. Tormod fikk øyenverk og trodde det var trollkjerringhevn for svindelen. Så endte det med at han ble ærlig for å redde synet sitt . . .

Hallfred Vandrådeskald opptrer på enhver måte som en pøbel mot Gris, mannen til Kolfinna. Og en annen skald, Bjørn Hitdølakappe, er ikke stort bedre der *han* ferdes. Men han har heldigvis en motstander,

Tord Kolbeinsson, som selv er skald og som ikke gir ham noe efter i ondskap. En gang er forlik nesten brakt i stand de to imellom ved gode venners hjelp. De skal bare lese opp nidvisene de har gjort mot hverandre, så det kan bli brakt på det rene hvem som har gjort flest. Så har Bjørn gjort en mere enn Tord, og da rett skal være rett, gjør Tord på stedet en om Bjørn. Og så farvel, fred og forlik! Ble det sagt at skaldeversene bare var dårlige? Det gjelder selvsagt ikke uten unntagelse. Det går gjerne slik, at i nidvisene er skaldene best – da har de så meget på hjerte at de uttrykker seg enkelt og forståelig og gir oss et glimt rett ned i sin svarte sjel. Gleden over en udåd kan også virke som en slik inspirasjonskilde. Da Tord Kolbeinsson har overfalt Bjørn Hitdølakappe fireogtyve mot én, og omsider fått livet av ham, da rir han av sted med hodet til Bjørn hengende ved sadelknappen og kveder en jublende vise som virkelig har flukt og en viss barbarisk prakt:

> Hvorhen stevner I, ravner,
> snare, i flokker svarte?
> Farer I nord fra Klivsand
> finner I alltid føden.
> Der ligger Bjørn, men blodfugl
> står der hodet bares.
> Langt er det ei å lete;
> hjelmkledt ved Hvitingsås falt han.

Eventyrene våre

Mars 1940

La oss tenke oss at én kom og spurte oss: Hvilket norsk litterært verk fra de siste hundre år har alt i alt hatt størst betydning for hele det norske folk? Svaret gir seg ikke av seg selv, det er heldigvis nokså mange ting å velge mellom. Noen ville kanskje svare: «Wergelands dikte», og dermed ha sin litterære samvittighet i orden (men vær ikke altfor viss på at vedkommende hadde lest svært mange av de diktene). Andre kunne tenkes å nevne P. A. Munchs verk om det norske folks historie, eller Ivar Aasens språkarbeider, eller Ibsens «Peer Gynt», eller Bjørnsons bondefortellinger. Hvert av disse arbeidene har, hver på sin måte, øvd stor innflytelse på det vi kunne kalle det norske folks fellesbevissthet.

Allikevel tror jeg at alle disse verkene må finne seg i å komme i annen rekke, sammenlignet med Asbjørnsen og Moes eventyrsamlinger. Den første av alle disse samlingene kom heftevis i årene 1841 til 44. Den ble fulgt av andre samlinger siden, redigert dels av Asbjørnsen og Moe sammen, dels av Asbjørnsen alene. Det er imidlertid fullt berettiget å se alle disse samlingene som ett verk. Og jeg for min del nærer ikke den ringeste tvil: Dette er *det* norske litterære verk fra de siste hundre år som har hatt den mangfoldigste og den største *samlede* betydning – for norsk diktning og forskning, for norsk nasjonal følelse og selverkjennelse, ja, til og med for norsk praktisk dagligliv.

Det fortjener å nevnes at da den første samlingen begynte å utkomme og hele det grunnleggende arbeid var gjort – uten noen slags forhåndsstøtte eller oppmuntring – da var Asbjørnsen og Moe ennå to ukjente og ganske unge menn; ingen av dem hadde fylt tredve år (As-

24

bjørnsen var født i 1812, Moe i 1813). Moe var teologisk kandidat med haud, altså en middels dårlig karakter, og var lite arbeidsdyktig på grunn av dårlig helse og tungsinn. Asbjørnsen hadde humøret og helsen i orden, men var lettsindig og doven, en slags evig student uten embedseksamen, og var så plaget av klattgjeld og kreditorer at han rett som det var måtte rømme fra hybelen og gjemme seg, snart hist, snart her. I et brev til Jørgen Moe fra 1838 heter det i en efterskrift: «Dit Brev til mig kan du anbefale Voss, der bor i min forrige Hybel hos Klokkeren. Jeg er formedelst Rykkere og Tidernes Tryk flyttet paa Grønland og befinder mig i Uhrmager Engers Gaard ved Dritbua.»

En sommer måtte han rømme ut til en av øyene i fjorden. Det lå en liten stue der, med dør til den ene kanten og vindu til den andre, og en båt på hver side av øya. Der kunne han alltid slippe vekk, om det skulle vise seg noe farlig i synsranden. Det hendte at han ikke en gang hadde penger til porto.

*

De to-tre første tiårene efter 1814 ligner ingen annen tid i vår historie. Det er som om folket våkner efter en lang søvn, ja mer enn det – som det våkner efter en eventyr-søvn, til ny ungdom. Først litt undrende: er dette meg? Så tar det litt efter litt seg selv i besittelse. I mindre målestokk kan disse årene minne om den tiden i Hellas' historie, da det greske folk våkner, og i den grad gleder seg over alt det som fins, at det nå lang tid efterpå virker som om et nytt skaperord var sagt: Bli lys! Og det ble lys.

Oslo i 1830–40-årene var ikke større enn Moss i dag. Og den var en fattig by. Men på denne vesle flekken, i denne fattigdommen, vandret Wergeland og Welhaven, Camilla Wergeland og hennes senere mann P. J. Collett, P. A. Munch, Schweigaard, Asbjørnsen og Moe og mange andre som hver på sin måte ikke var så meget ringere enn de her nevnte. Oslo i dag er tyve ganger større og hundre ganger rikere; men vi ville bare gjøre oss selv komiske, om vi søkte å skrape sammen en gruppe av nålevende Oslo-folk som skulle måle seg med de unge mennene fra 1840.

25

I 1850 satt Ibsen, Bjørnson, Vinje og Jonas Lie i samme gymnasieklasse . . .

Intet åndens storverk oppstår på bar bunn. «Det ligger i tiden», som man sier. Asbjørnsen og Moes arbeid er sprunget ut av den romantiske bevegelsen som gjorde seg gjeldende over store deler av Europa i begynnelsen av forrige århundre. Den førte overalt med seg en øket interesse for all slags folkediktning – eventyr, sagn og folkeviser.

I flere land var det blitt samlet inn folkediktning. I Storbritannia våknet interessen for folkepoesien allerede i det attende århundre; og denne interessen ga seg i første omgang et underlig utslag. En begavet ung skottlender, MacPherson, sendte ut en rekke dikt som han påsto han hadde samlet i Skottland, og som skulle skrive seg fra sagnfiguren, folkeskalden Ossian. Det hele var en storslagen forfalskning, MacPherson hadde satt sammen diktene selv, riktignok på grunnlag av ekte skotske sagn og sanger. «Ossians diktninger» gjorde veldig lykke, og mange store menn rundt om i Europa bet på kroken. Goethe og Napoleon var blant dem. Dr. Samuel Johnson gjennomskuet svindelen, og han måtte i lengere tid gå omkring med en svær stokk – MacPherson hadde truet ham på livet.

I Tyskland hadde Herder utgitt et utvalg av folkediktning fra forskjellige land. Siden kom blant annet Arnim og Brentanos samling av tyske folkeviser, «Des Knaben Wunderhorn», og brødrene Grimms samlinger av tyske folkeeventyr.

Fra Tyskland bredte romantikken seg til Skandinavia, sist til Norge – vi lå i utkanten av verden. Men i slutten av tyveårene hadde bølgen nådd hit opp også. Og folk begynte å sukke efter «de Skatte som skjule sig i Folkedybet», folk likte å uttrykke seg i svulmende stil dengang, noe vi nå fornemmer som *falsk* romantikk. Eventyrene hjalp til å gjøre ende på den.

En del norske folkesagn var blitt samlet inn før Asbjørnsen og Moe begynte. Særlig må nevnes Andreas Faye, han sendte ut en samling norske sagn i 1833. Disse sagnene er i og for seg bra nok. Men Faye var ikke mann for å gjenfortelle dem, han hadde ikke øre for den norske muntlige tonen, og skrev dem ned på snirklet dansk, med en og annen norsk glose innimellom. Og da han skulle forklare *hvorfor* han hadde samlet disse sagnene, da uttrykte han seg på en måte som i dag nærmest virker komisk. «Den Indvending, som maaske vil gjøres,» skriver han, «at disse Sagn om Jutuler, Nøkker o.s.v. ville tjene til at stadfæste en gammel Overtroe, er efter Udgiverens Mening ugrundet. Saavel i Indledningen, som ofte i Anmærkningerne, vil Læseren finde antydet den første Oprindelse til disse Sagn, og den skadelige Troe paa disse Væsener vil udentvivl derved, at de komme paa Prent og blive Gjenstand for fornuftige Folks Samtale, faae Naadestødet, thi saadan Overtroe trives kun, naar den indhylles i en vis Hemmelighed og uden Forklaring forplantes fra Mund til Mund.»

Faye hadde fått idéen til dette arbeidet sitt under en reise i Tyskland. Der ble han kjent med flere av de tyske romantikerne, og traff til og med selve Goethe. Men forordet hans er et godt eksempel på at en mann godt kan være begeistret for en ny åndsretning, ja selv tro at han går inn for den, men likevel stå plantet med begge bena i noe annet og eldre. Dette forordet er så snusfornuftig som om det var skrevet midt i opplysningstiden. Faye gjør seg til talsmann for et trangt nyttehensyn. Og så gikk det ham som det ofte kan gå: I sin iver for å påvise nytten ble han så nærsynt at han ikke så nytten engang. Ganske visst, det *var* nyttig å få samlet inn de norske sagnene, men det var nyttig på en meget dypere og mangfoldigere og mere vidtrekkende måte enn Faye drømte om.

Asbjørnsen og Moe så rekkevidden.

Jørgen Moe var bondegutt fra Ringerike, en av de sagnrikeste bygdene på Østlandet. Asbjørnsen var fra Oslo; men faren sendte ham til en privatskole oppe på Ringerike, i det håp at han skulle bli litt flittigere der. *Det* ble han ikke, men han traff Jørgen Moe.

Nå efterpå ser det så enkelt ut det arbeidet Asbjørnsen og Moe gjorde i de syv-åtte årene, fra 1833 til 1840. Kjære, landet var jo fullt av sagn og eventyr og folkeviser. Hvert barn hørte mengder av slike ting under oppveksten. Hva kunne da være lettere enn å samle stoffet inn? Det var jo bare å ta skreppen på rygg, dra opp gjennom bygdene og spørre seg for hvor de beste fortellerne var å finne . . .

Nei, fullt så enkelt var det nok ikke.

Det lå altså et ønske «i tiden selv» om å få gjort dette arbeidet. Men *det* er ikke det samme som at arbeidet dermed var gjort. Det kan være en veldig avstand mellom dette å føle, ofte nokså uklart, en lengsel efter noe, og dette andre, å utløse lengselen, gi den kjøtt og blod.

I et brev, skrevet i 1840 – like før Asbjørnsen og Moes eventyr begynner å utkomme – skriver Henrik Wergeland:

«Men skulde – De vil erindre at jeg har vedgaaet min Incompetenz til at dømme om vor Fjeldpoesi, paa hvis Tilvær og Væsen jeg ikke mere tør sværge end paa Aandernes. Men som jeg dog likesaavist troer – skulde en saa malende Musik være uden en ligesaa riig Poesi? Nei, jeg troer den er til, men . . . paa Høiderne og i Aftagende inden sine Sprogskranker . . .»

Wergeland nevner ikke direkte de norske folkeeventyrene. Men en ting er vel nokså sikker: Hadde han visst noe om dem, hvilken mengde det var av dem og hvilken verdi de hadde, ville han ha nevnt dem.

Han visste ikke noe om dem. Og det til tross for at han, som alle landsens barn, må ha hørt mengdevis av dem i kjøkkenet og drengestuen på Eidsvoll prestegård. Men det har vært med ham som med nesten alle andre: Han har hørt, og allikevel ikke hørt. Inn av det ene øret og ut av det andre. *Folkediktning,* det der? Det der var jo sånt som en hørte hver dag, det!

Da Asbjørnsen og Moes første eventyrsamling utkom, erklærte den ene efter den andre, at det der hadde de da hørt som barn allerede. Fullstendig rådvillhet preget oppfatningen blant norske kritikere til å begynne med. Kunne det virkelig være riktig å trykke slikt noe?

Mange forarget seg. Norsklærere advarte mot boken. Sogneprest D. Thrap, som har fortalt en del om dette, tilføyer: «Jeg husker ogsaa tydelig min Forundring over at det gik an at sætte paa Tryk saadanne Vendinger, som jeg var vant til at høre i Drengestuen.»

I virkeligheten var det anerkjennelsen utenfra (fra brødrene Grimm blant andre) som fremtvang anerkjennelsen her hjemme.

Hele fenomenet er underlig, men vi har sett det gjenta seg utallige ganger i åndshistorien. Det kan nesten se ut som om forklaringen er denne: Det meste av det vi blir lært opp til å se, legger seg som en hinne over øynene. Det meste av det vi blir lært opp til å høre, samler seg som dotter i ørene. Og når vi omsider er blitt fullært, kan vi som oftest hverken høre eller se.

Vitenskapen og kunsten har for så vidt samme slags utvikling, og viser det samme: Det viktige og vanskelige ved hver ny oppdagelse er ikke *det* å lete seg frem til det nye, men derimot å få skrellet av seg alt det gamle tøvet, alt det gamle støvet som direkte stenger for synet og forstanden. Det nye og riktige, det ligger gjerne og skinner like for nesen på en, synlig for hvert barn. Men hvis en tar det opp, blir folk fornærmet: En gullklump det der? Den har vi da sett i alle år, og tatt for en alminnelig hestelort!

Asbjørnsen og Moe hadde i behold den sjeldne evnen: De kunne se og høre. Ellers var de vidt forskjellige. Jørgen Moe var tungsindig og tenksom. Asbjørnsen lignet mere en munter, likevektig gutt som ser og hører fordi han har sansene i orden. En kan se det på ham – han lignet i alle sine dager et kjempemessig, lykkelig og oppvakt barn.

Og han hadde hele livet igjennom den umiddelbare forbindelse med naturen og det naturlige. *Ham* ville folk gjerne fortelle reggler til! Jørgen Moe var den tenksomme og forstandige. Med instinktet som veileder og forstanden som kontrollør *arbeidet* han seg frem til det riktige. Han var ikke noe barn, men han hadde en usedvanlig sterk og klar erindring om barndommen og lykken dengang. Det var denne erindringen som var den sterkeste drivkraften hans under arbeidet. Og han hadde en sikker stilfølelse som kom ham til gode i alt hans arbeid. Asbjørnsen var ikke lite av en slurv, Jørgen Moe arbeidet tyngre og senere, men nådde sikrere resultater. Alt i alt utfylte de to hinannen på en usedvanlig heldig måte – det gir en del av forklaringen på at eventyrsamlingene deres fikk så meget større betydning enn tilsvarende samlinger i andre land.

De to arbeidet sammen som venner. Men det kan neppe være tvil om at fra først av var det Jørgen Moe som var den ledende. Han hadde bedre stilsans og sikrere smak, han var en klokere og mere voksen mann enn Asbjørnsen. Og som det så ofte går – når en mann får tak i en stor oppgave, og denne oppgaven besetter ham, så gjør selve arbeidet ham for en tid større og klokere enn han «normalt» er. Jørgen Moe var livet igjennom en klok og myndig mann, han var en ganske fin dikter, han endte som biskop, og var ingen dårlig biskop. Allikevel er dette ungdomsarbeidet hans med eventyrene i den grad det viktigste han gjorde i sitt liv, at vi godt kan si: *det* ble hans livsverk.

Hvor klar han var over rekkevidden av dette verket, det ser vi kanskje best av en «Samling af Sange, Folkeviser og Stev i norske Almuedialekter» som han utga i 1840. Selve samlingen er ikke så merkelig – folkevisene fikk vi ikke for alvor før Landstad satte i gang med innsamlingen sin. Merkelig er derimot Jørgen Moes innledning. Her hevder han først at verdien av et lands skjønnlitteratur beror på at den «i rene, lutrede Billeder afspeiler Folkets Liv, saaledes som dette efter fysiske og historiske Betingelser er til.» Han ser det da som en avgjørende mangel at vår kunstpoesi «i sin Heelhed er ganske adskilt fra, er noget reent Fremmed for vor Folkepoesi. Hvor kunstig og forfinet et Lands Literatur end kan være, har den dog, om den er sand, altid bevaret en Grundtone af Folkepoesien, – hos *os* derimod klinger hver med sin Tone, og hvor Lydene samledes, har det oftest været til Misklang.» Det gjelder «at dukke ned i Folkelivet og der at frigjøre og hæve op igjen med sig den Rigdom af Poesi Folket eier.»

Moltke Moe sier i sine kommentarer, skrevet i 1906:

«Dette er just den vei vor *digtning* og *litteratur* i det store har gaaet siden 1840.»

Så kommer Jørgen Moe inn på språket:

«Jeg vil ingenlunde have lagt Dølgsmaal paa den min Overbeviisning, at det er det eneste Rigtige at vore Skribenter fra Almuesprogets Guldgruber hente hvad de tiltrænge og hvad de med Fordeel kunne benytte; disse Gruber eie Malme, der have en klar og kraftig Klang til Toner netop for Det Nordmænd have at sige og synge.»

Moltke Moe tilføyer:

«– Og dette er vor sprogudviklings gang fra 1840 til nu.»

*

Men nå må det vel snart være nok med ære og ros til disse to samlerne?

Nei, ennå ikke. For én ting var å vite om eventyrene, og forstå verdien av dem, og finne frem til dem. Det vanskeligste sto allikevel tilbake: Å gjengi dem. Det er der Asbjørnsen og Moe øver sitt egentlige storverk. Eventyrene ville nok i alle fall blitt samlet på en eller annen måte, av en eller annen. Men at de ble samlet og gjengitt *slik*, det var selve hellet.

Men kjære, var det ikke bare å skrive ned det som ble fortalt? Det var nettopp det det ikke var. For det første ble eventyrene fortalt på forskjellig måte av forskjellige. Men for det annet ble de fortalt på dialekt. Hadde Asbjørnsen og Moe gjenfortalt dem på filologisk riktig dialekt, ville samlingen blitt vitenskapelig verdifull, men den ville aldri blitt noen folkebok. Da ville den bare ha vandret rett inn til støvet i en og annen bokhylle. Hadde de på den annen side skrevet eventyrene ned på datidens vanlige «norske» skriftspråk (som var 99 pst. dansk), ville det meste av den norske duften og saften gått sin vei; for den er bundet til *måten* det fortelles på. Asbjørnsen og Moe forsøkte, og klarte, det uhyre vanskelige: De overførte eventyrene til tidens skriftspråk, men de gjorde samtidig dette skriftspråket norsk, i setningsbygning og for en stor del også i ordvalg. *Derved skapte de i virkeligheten det nye norske riksmål.*

(Ut fra dette synet kan jeg for min del bare beklage at dialektene er blitt innført i eventyrsamlingene i de siste utgavene. I samme grad som det skjer, i samme grad blir eventyrene drept som folkebok. En kan ikke forlange at en mor på Sørlandet skal sitte og fortelle barna sine eventyr og sagn på Vågå-mål.)

Hvor selvstendige og nyskapende Asbjørnsen og Moe var i arbeidet sitt, det kan vi få et inntrykk av når vi sammenligner notatene deres med det ferdige eventyret.

La oss ta et eksempel fra «Herreper». Jørgen Moes første opptegnelser ser slik ut:

En Mand og en Kone – 3 Sønner – langt borte i en Skov boede de – de døde – efter dem: en Gryde, en Takke (til at stege Fladbrød paa), en Katte – den Ældste Gryden – Mellemste Takken – Yngste Katten. – Ældste: naar jeg laaner bort Gryden, saa faar jeg skrabe den. – Mellemste: naar jeg laaner bort Takken, saa faar jeg Lefse. – Den Yngste: Om jeg laaner bort Katten saa faaer jeg ikke noget; faaer Katten lidt Melk, saa vil hun ha'e den selv.

Les så til sammenligning det tilsvarende avsnitt i det ferdige eventyret:

Der var engang et Par fattige Folk; de havde ingen Ting uden tre Sønner; hvad de to ældste hedte, det ved jeg ikke, men den yngste hed Peer. Da Forældrene var døde, skulde Børnene arve dem, men der var ikke andet at faae, end en Gryde, en Takke og en Kat. Den Ældste, som skulde have det bedste, han tog Gryden; «naar jeg laaner bort Gryden, saa faaer jeg altid Lov at skrabe den,» sagde han; – den Anden tok Takken; «for naar jeg laaner bort Takken, faaer jeg altid en Smagelefse,» sagde han; – men den Yngste han havde ikke noget at vælge imellem; vilde han have noget, saa maatte det blive Katten. «Om jeg laaner Katten bort, saa faaer jeg ikke noget for den,» sagde han; «faaer Katten lidt Melk, saa vil hun have den selv. Men jeg vil tage den med mig ligevel jeg; det er Synd den skal gaae her og omkomme.»

Der har vi et eksempel på *måten*. Og for å gi et inntrykk av hvor omhyggelig de to arbeidet, kan nevnes at det oppsto stor strid mellom dem om det siste *jeg* i setningen: «Men jeg vil tage den med mig ligevel jeg.» Asbjørnsen syntes det ble for meget av det gode. Og på det punktet vant han. Det siste «jeg» ble sløyfet i en senere utgave.

Problemet er slett ikke så uvesentlig. Dette jeg-et gjør forskjellen mellom en helt muntlig dagligdags, og en litt «høyere» uttrykksmåte.

Denne vesle prøven viser mange ting. Den viser for eksempel at rettskrivning er én ting, norsk rytme og ordføring er noe helt annet. Rettskrivningen er bare drakten som føyer seg – bedre eller dårligere –

omkring en levende kropp. Tenk om noen av de filologene som for tiden «nyskaper» norsk språk kunne lære *den* enkle sannheten. Tenk om de ville sette seg ned og lese og lese om igjen eventyrutgaven av 1841, til noe av språkrytmen – kanskje – klarte å trenge inn i det blekket de har som blod i årene sine. Og mens de holdt på med det arbeidet, ville de iallfall ikke få tid til å fornorske oss med nye og atter nye rettskrivninger hvert femte år.

Det var intet mindre enn en revolusjon i norsk riksmål de to eventyrsamlerne i all stillhet gjennomførte. Og selvfølgelig møtte de motstand (det vanlige norske riksmål har ennå ikke på langt nær nådd frem til disse eventyrsamlingene i norsk tone). Innvendingen i «dannede kredse» var selvfølgelig at språket i eventyrsamlingen var simpelt («at det gik an at sætte på Tryk saadanne Vendinger som jeg var vant til at høre i Drengestuen!»).

Camilla Collett, Henrik Wergelands søster, gjorde seg særlig til talsmann for denne «fine» smaken. I bladet «Den Constitutionelle» skrev hun en artikkel (sammen med sin mann P. J. Collett) og krevde en mere «lutret og renset» utgave av eventyrene. Som mønster gjengir hun selv et eventyr med en innledning. Denne innledningen er kostelig i sin narraktighet:

«En stor Deel af Dagen tilbringer jeg doven som en Pascha i Skyggen af en deilig Skov. Jeg opsøger altsaa ikke selv Eventyr, men denne gang har jeg anmodet Eventyret om at besøge mig. Det er netop i min Skov jeg har sat det Stævne, og jeg inviterer Dem, Hr. Redacteur, til at ledsage mig til dette Rendezvous. O frygt ikke, det koster ingen Anstrængelse. Man kan umuligt nemmere komme til et Eventyr. Vi ville læne os mageligen mod en bred Granryg og blæse Røgen af vore Cigarer op i den blaa Luft, imidlertid sætter Anne Marie, min gamle fortræffelige Barnepige, sig paa næste Tue og begynder:
Der var engang» osv.

Eventyrfortellersken presenterer hun slik:

«Hvad der strax vil paafalde Dem, er noget vist cultiveret Sikkert i Sproget, som slige Qvinder undertiden vide at tillægge sig. De vil bemærke en vis Elegance i Formen i hendes Eventyr; og med dette er de ligesaa norske som Asbjørnsen og Moes, hvor den oprindelige Raahed er bibeholdt med den roesværdigste Kunstfærdighed.»

Så kommer eventyret. Det var et norsk eventyr; men det var blitt dansk.

Camilla Collett kom siden på bedre tanker og ble av og til rådgiver for Asbjørnsen.

*

Langsomt gjorde eventyrene sin gjerning. De ga forskningen materiale, de ga diktningen nytt syn og nytt stoff, de ga retningslinjer for utviklingen av norsk riksmål. De lærte oss nye ting om norsk tenkesett, norsk egenart, norsk dagligliv i nutid og fortid – eller rettere, de minnet oss om en mengde ting som vi ellers kanskje ville ha glemt. De ga mange av våre ypperste kunstnere arbeidsoppgaver – og disse kunstnerne gjorde så i sin tur eventyrene enda mer levende for oss. De ble en skattkiste, en gledeskilde for alle norske barn av alle aldre, gjennom alle generasjoner fra 1840 til nå – og forhåpentlig lenge herefter. De er blitt et felleseie for alle nordmenn, og har derved økt den ekte norske fellesfølelsen – ikke ved store ord og fakter, men derved at de har gitt oss øket åndsinnhold og sikrere åndsform og har gjort det rikere og morsommere å være norsk.

Om eventyrenes innflytelse på alle de områdene jeg her har nevnt har det vært skrevet bøker og artikler i mengde, og det kunne skrives mengder enda. La meg her bare minne om en liten ting: I begynnelsen av artikkelen ble det nevnt to fremstående norske dikterverker: Ibsens «Peer Gynt» og Bjørnsons bondefortellinger. Men ingen av de verkene kunne tenkes skapt uten eventyrene. I et dikt som «Terje Vigen» har Ibsen direkte lært norsk tonefall av Asbjørnsen og Moe.

*

Men *selve eventyrene* da – hva er det ved dem, bortsett fra denne meget omtalte stilen altså, som gjør dem så norske? Det går jo rykter om at disse samme eventyrene fins i en rekke land, i India og Egypt og Gud vet hvor. Eventyrenes vandringer er en historie for seg. Den saken er nå ikke oppklart ennå, forresten. De fleste av eventyrene våre har imidlertid levd meget lenge her i landet. Det henger sammen med at eventyrene er en så eldgammel diktform, meget eldre enn sagaen. De står forsåvidt ved siden av den religiøse myten. Eventyret er en *verdslig* myte. Felles med myten har det «det mytiske tenkesett». Eventyret er ikke logisk. Der skjelnes ikke mellom natur og ånd, eller om man vil mellom tanke og handling, mellom drøm og våken virkelighet. Dyr taler, fjell åpner og lukker seg, stein blir til mennesker og mennesker til stein, norden-vinden, vestenvinden og månen er menneskelignende vesener, og så videre.

Intet av dette er noe særegent for de *norske* eventyrene. Men disse eventyrene har levd i norske sinn og er blitt fortalt med norsk munn i lange, lange tider, kanskje i tusener av år. Og langsomt er de blitt en del av landet, hvor de nå ellers er kommet fra.

Norsk landskap lever i dem, norske folketyper dummer seg og lurer hverandre i dem, norsk moralvurdering preger dem, norsk tørr humor ytrer seg i dem – men der er vi inne på *måten* igjen, og nærmer oss altså stilen på ny.

Noe av det særegne ved humoren i eventyret er at den ler av det redsomme. Der er denne humoren i slekt med sagaen. – Jo, du har rett, sier mannen i sagaen tørt, – foten er av!

Jørgen Moe finner at de norske eventyrene preges av en *mannlig* tone, i motsetning til for eksempel de tyske.

La oss ikke bli knall-patrioter heller. Det er ikke alltid så høy moralsk himmel over eventyrene våre. Hos Askeladden kommer av og til det *slappe* svært tydelig frem, oftere det slue og kloke, av og til det snille og hjelpsomme (med den baktanken: det *lønner* seg å være snill på en fornuftig måte), av og til det grusomme også. Nei, det moralske nivået kan av og til være så som så.

Det fins et norsk eventyr som heter *Store Per og Vesle Per*. Om det skriver Anders Krogvig:

«Dette eventyret er i moralsk henseende det tvilsomste av alle, eller rettere: det er i sin uskrømtede glede over list og svik fullstendig umoralsk.»

Jørgen Moe sier om det samme eventyret:

«Det er ene og alene ved sin ligefremme, godtroende Beretning, som om alt var ganske i sin Orden, at Fortællingen lader sig høre, og hæver sig til en Art grusom Humor, der ei er så sjelden i Sagaen og Kjæmpeviserne. Det mindste Forsøg paa at mildne eller motivere Handlingen vilde gjøre den utaalelig.»

Men nok om eventyrene nå. Hvert barn kjenner dem jo.

Vi vet: Det fins annen norsk folkediktning enn eventyrene. Vi har folkevisen, og vi har andre litterære kostbarheter fra gammel tid, sagaene for eksempel. Men mellom sagaene (som jo strengt tatt ikke er norske heller) og eventyrene er det en vesentlig forskjell: Eventyret gir oss i ganske annen grad *folkets* tenkesett, følelser og uttrykksmåte. Der er mindre heltemot, mindre forfengelighet, men meget mere sunn sans og naturlighet i eventyrene. Visene på sin kant inneholder meget mere av lengsel, drøm og savn, kort sagt, mere poesi. Tilsammen virker disse tre – saga, eventyr og folkevise – som en varig sunnhetsbrønn for norsk åndsliv. Vi må fjerne oss fra denne kilden mang en gang, vi må orientere oss utover. For verden forandrer seg, tiden står ikke stille. Men med visse mellomrom, efter streiftog ut i det nye, kan det sees hvordan vår kunst og hele vårt åndsliv vender tilbake igjen, drevet av et riktig instinkt, og søker samling og fornyelse i det hjemlige, i det som var og alltid vil være norsk, og dermed ekte og naturlig for oss. Eventyrene – som selv er oppstått av en vekselvirkning mellom fremmed innflytelse og hjemlig kraft – er på godt og ondt det mest tvers igjennom norske vi eier og har.

Henrik Ibsen

(1928)

Den tyvende mars er det hundre år siden Henrik Ibsen ble født. I de kommende uker vil han bli feiret ikke bare her i Norge, men nær sagt over alt i verden, hvor det finnes en avis og et teater – og mange andre steder med, forresten. Av alle norske diktere er han den som har nådd den videste berømmelse. Millioner av tilskuere har sett et eller annet av hans skuespill og følt seg knuget eller løftet av hans forkynnelse, eller grepet av hans menneskeskildring, eller har ergret seg over denne påtrengende tordengud i menneskeskikkelse. Og noen har kanskje ikke følt noe, ut over en viss kjedsomhet, blandet med ærbødighet for noe så anerkjent og berømt.

For en uhildet vurdering av Ibsen som dikter er all denne offisielle anerkjennelsen selvfølgelig bare en hindring. Den er noe vi må prøve å se bort fra, hvis vi vil gjøre oss opp en virkelig mening om Ibsen som en fremdeles levende og virksom kraft.

Vi må også se bort fra det meste av den filologiske granskning som har avleiret seg omkring de enkelte dikterverker. Det er jo en naturlov i åndens verden at når en dikter har nådd en viss størrelse – eller rettere berømmelse – da begynner han å øve en magnetisk tiltrekning på alle filologer. Omkring ham oppstår det efterhånden en koloni av offisielle granskere, tydere og fortolkere, som setter seg den oppgave å utforske, forklare og bortforklare den avdøde. I enkelte tilfelle, Goethe og Shakespeare for eksempel, ligger fortolkningene i tykke geologiske lag ovenpå diktningen, så man undertiden er nødt til å foreta utgravninger for å finne tilbake til selve dikterverket. Ibsen er allerede i ferd med å bli en verdig nummer tre i dette berømte selskapet. Han er nå usedvanlig vel skikket til fortolkning også.

For den *umiddelbare* forståelse av Ibsens diktning er det meste av denne fortolkningen unødvendig, ja, skadelig. Den diktning som ikke lenger kan forståes uten kommentarer, den er i virkeligheten død *som diktning*. Allikevel er det fristende å gjøre en reservasjon her. Det gjelder forskningen over dikterens liv. Privatlivets fred i all ære; men er det ikke underlig, at mens de mindre dikteres bøker som regel kan forståes og nytes i og for seg, så opplever vi gang på gang, at de store dikteres verker får vi vanskelig den fulle forståelse av før vi vet litt om dikternes liv. Så underlig er dette kanskje ikke allikevel. Store diktere, det vil jo si diktere hvis verker inneholder vesentlige ting, vesentlige både for dikteren og for oss. Og disse vesentlige tingene, det er dikterens svar på spørsmål som tilværelsen har rettet til ham. Det må holdes oss unnskyldt om vi har en viss interesse av å få vite hvordan den tilværelsen var som fremkalte nettopp dette svaret.

*

I en ganske særegen grad gjelder dette om Ibsen.

Det er jo nemlig så at hos Ibsen er diktningen og karakteren knyttet uløselig sammen. Det samme gjelder vel på sett og vis alle diktere; men hos Ibsen utgjør de to ting i ganske usedvanlig grad en sammenhengende enhet. Hvorfor? Det henger sammen med at han var profet i like høy grad som han var dikter. Han var forkynner, refser, moralist, grubler og sannhetssøker like meget som han var billedskaper og ordbygger. Og hans diktning var et frigjørelsesarbeide og en tordentale som gjaldt ham selv like meget som den gjaldt hans folk og den hele vide verden. I «Kongsemnerne» skrev han et drama om sin egen tvil, og overvant en del av tvilen ved hjelp av det samme dramaet. Når han holdt dundrende moralprekener, som i «Brand», da var synderen ganske visst det norske folk; men på en hemmelighetsfull og ganske særlig måte var det ham selv. I «Peer Gynt» hudflettet han atter det norske folk, samtidig som han forsøkte å forsage og avsi djevelen i sitt eget kjød.

Siden nærmer han seg andre av sine sentrale personlige problemer;

i «Gengangere» kretser han om fedrenes synder som hjemsøkes på barna. Det er tanken om «arvesynden» han her arbeider med på sin egen måte. Han begynner så smått å kretse omkring det skumle grunnproblem som vi kan kalle *skyldfølelsen* – denne skyldfølelsen som har ført begrepet *synd* inn i verden. Og med synden kom sorg og sykdom og død, lærte vi som barn. Med andre ord, den som er slave under skyldfølelsen, han er under forbannelsens lov.

Ibsens alderdomsdiktning er en diktning om skyldfølelse, om «skranten samvittighet», om de uhyggelige dragninger i sinnet som fyller sjelen med lyst og gru, med angst for dommen, angst for livet, angst for døden . . . Eftersom profetgleden ebber ut av ham med årene, blir han gående mer og mer fortenkt og stirre ned i slike mørke gåter. Selvfølgelig handler skuespillene hans om mange andre ting også. Oppramsingen ovenfor har bare den hensikt å peke på den nære sammenheng mellom diktning og personlighet hos Ibsen. Et studium av hans karakter, som den ytret seg også utenfor hans verker, til og med i det mest trivielle dagligliv, kan føre til en sikrere forståelse av hans diktning.

*

Nils Kjær var det visst som skrev ved ett eller annet Ibsen-jubileum, at en nasjonalitet var vid nok til å kunne forklare alle en dikters eiendommeligheter, og følgelig forklarte den ingen av dem.

Det er en setning som låter bestikkende ved sin klare logikk. Allikevel må vi hevde at dikteren Henrik Ibsen var så typisk, ja, så snevert norsk, at vi kan fristes til å sette et spørsmålstegn når det gjelder varigheten av hans internasjonale ry.

Henrik Ibsen norsk? Ikke engang slekten hans var norsk. Det fløt tysk, skotsk og gud vet hva annet fremmed blod i hans årer. Og av utseende var han da også alt annet enn typisk nordmann, noe vi lett glemmer, fordi vi vesentlig husker alderdomsbilleder av ham som gammel kone med hvitt kinnskjegg. Men som yngre hadde han kullsvart hår og skjegg, var gustenblek i ansiktet («med farve som gipsen»), og av vekst var han tettbygget og bredskuldret, men liten.

Ikke desto mindre må vi fastholde – om det så skal koste oss Holberg

– at Henrik Ibsen er norsk, kavnorsk. Ja, gud vet om vi overhodet har noen norskere dikter – tross avstamningen, tross alle årene han bodde i utlandet, tross all hans fjernhet fra det daglige liv og leven her hjemme.

Hans rake motsetning i ett og alt, Bjørnstjerne Bjørnson, blir oftest pekt på som den i sinn og skinn *norske* av de to. Og det må jo innrømmes, at på mange måter ville det vært hyggeligere, enklere, mindre egnet til eftertanke, om vi kunne sette kaksen og eventyrkongen Bjørnson opp som det norske symbol, og glemme den bleke, fordekte eremitt Henrik Ibsen. Bjørnson er så oversiktlig. Han er så freidig, så egnet til å vekke begeistring, så skapt til å være ideal for ungdommen. Mot ham virker Ibsen som en skummel representant for de underjordiske.

Men vi kan nok ikke bli kvitt ham for det.

Norsk eller ikke – det blir i siste instans en fornemmelsessak, og nettopp derfor vanskelig å forklare.

Men tenk på skuespillene hans. Vi skal ikke ha lest eller sett mange av dem, før den tanke melder seg, at det er lang vinter og lite sol der hvor dette foregår. Inne på scenen er det skumring, utenfor er det regn og sludd og sne.

Og små forhold, samfunnsmessig sett, er det nesten alltid som danner bakgrunnen for Ibsens voldsomme menneskeskjebner. Småbyen, *den norske småbyen* lever utenfor vinduene og trenger seg inn gjennom alle sprekker med sine nidkjære krav til god tone, med sin nysgjerrighet og sin pietistiske dømmesyke.

Meget er sagt og meget kunne sies om norskheten i Ibsens sprog, og om det særpreget norske i de skikkelsene han har skapt. Men la oss gå tvers gjennom alt det og hen mot det egentlige, det sinn som skapte det alt sammen.

Da vil vi snart merke at det mørke og strenge været i skuespillene ikke er noen ytre tilfeldighet. Vi møter et mørkt og rugende, et sky og hemmet sinn, et vintersinn. På hundre måter røper denne sinnets egenart seg. I en puritansk moralvurdering, som egentlig aldri forsvinner, selv om dikteren proklamerer «glade adelsmennesker».

40

Ser vi på Ibsens diktning som helhet, må vi si at den er dyster som en nordisk senhøst. Der er lite av umiddelbar livsglede i den, men desto mere av livsangst, anger og ruelse, nidkjærhet, gjengjeldelse og straff. En mengde av den *skrantne samvittighet* som det snakkes om i «Bygmester Solness».

Men *den* må ha brukt sine øyne og sin forstand dårlig som ikke har oppdaget at nettopp disse egenskapene går inn som en meget vesentlig tråd i norsk folkekarakter.

I kraft av dette talentets og personlighetens særpreg er det at Ibsen må kalles norsk – som Hans Nielsen Hauge var det, som Arne Garborg var det, og – hvorfor ikke ta det med? – som svermen av legpredikanter er det den dag i dag, i et annet plan.

For la oss ikke glemme det heller, alltid var Ibsen meget av en predikant, han syntes det var ganske koselig å stå på et kateter og skremme folk med bål og brann og helvete.

Alle frasagn om Ibsens ytre vesen stemmer, som ventelig er, godt overens med det inntrykket hans verker gir. Når noen har det så travelt med å fortelle at han faktisk kunne være munter i et vennelag, så understreker denne opplysningen i virkeligheten bare det faktum, at i alminnelighet var han hemmet, genert, trykket, lite umiddelbar. Han hadde intet av Bjørnsons fysiske selvsikkerhet og tillit til egen charme. Med årene, eftersom erfaringen gjorde ham klokere og berømmelsen ga ham en sokkel å stå på, skjulte han sin skyhet bak et bistert oppsyn; men genert og selskapelig usikker var han til sin dødsdag.

Når et menneske hele livet går omkring så tilknappet, så sky og hemmet i sinn og skinn, da kan det vel skyldes naturlige anlegg. Men det kan også skyldes ytre forhold. Og for Ibsens vedkommende kjenner vi en del slike forhold, vi vet om en del perioder i hans liv som på avgjørende måte har hemmet ham.

Da Henrik Ibsen var i 8-års alderen, gikk det ut med hans far, den store Skienskjøpmannen. Familien måtte flytte utenfor byen, og gutten måtte skifte over til en simplere skole. Allerede det å bo utenfor byen var litt av en skam efter datidens småbyoppfatning. For Henrik Ibsen, som var stolt og nærtagende langt over det normale, må ubehaget ha vært meget sterkt. I følge Sigurd Høsts bok om Ibsen betalte den lille Henrik av sine småskillinger til de andre bondeguttene for at de skulle skille lag med ham når de nærmet seg skolen.

Som 16-års gutt ble han sendt hjemmefra, til Grimstad i apotekerlære. Han skulle klare seg selv herefter. I de viktige overgangsårene, da nye evner og drømmer hver dag melder seg, ble hans krefter vesentlig opptatt med å skifte miljø og tilværelsesform. Det er ikke lett å måle hva en slik omlegging krever av anspennelse, hva den beslaglegger av energi, hvordan den hemmer ens naturlige lyst til umiddelbar utfoldelse.

I Grimstad hadde han en erotisk opplevelse – den første i hans liv? Han fikk et barn med en tjenestepike i Apoteker-huset. Hun var meget eldre enn ham, og han måtte passere rommet hennes når han skulle inn til det trange kottet der han selv sov. Akk! Romantikken og livsaligheten ved den første kjærlighet!

*

Tidlig må Ibsen ha vært klar over at det var dikter han skulle bli. Allerede mens han var apotekerlærling i Grimstad, skrev han sitt første store (men mislykkede) verk, det historiske skuespill «Catilina». Og siden, som ung student og som ung teaterleder i Bergen og efterpå i Kristiania, utfoldet han en flittig produksjon, skrev mengder av dikt og en lang rekke av skuespill. Men som det pleier å gå med sterkt hemmede mennesker, – det tok lang tid før han «fant seg selv», som det heter. Ja, av denne overraskende lange famletiden ser vi først hvor hemmet og usikker og redd han må ha vært. Å finne seg selv, å vedstå seg sin egen originalitet, det er jo først og fremst et spørsmål om selvtillit. Ibsen gjemte seg, han efterlignet andre, han skrev nasjonalromantiske dikt og skuespill i Welhavens og Oehlenschlägers stil, han forsøkte seg litt à la Bjørnson også. Han, den sterkeste og dypest originale av dem alle, ble en mester i forstillelsens og efterligningens kunst. Til slutt brakte denne efterligningsevnen ham et slags hell. Han efterlignet sagastilen og skapte det falske og dårlige «Hærmændene på Helgeland», som på sett og vis falt i tidens smak. Men heller ikke dette

42

stykket skaffet ham noe virkelig gjennombrudd. Se til sammenligning på Bjørnson; han var ikke den mann som ble plaget av hemninger. Kraft og talent lyste og lavet av ham, dikt og fortellinger drysset fra ham, alle flokket seg om ham, menn beundret ham, kvinner elsket ham . . .

Bjørnson var nesten fem år yngre enn Ibsen. Alle de seirene – og vel å merke, de fullt ut *fortjente* seirene – som den yngre konkurrenten vant, skulle ikke nettopp bidra til å øke Ibsens umiddelbare selvfølelse.

Usikker og famlende er Ibsen i de 12–13 årene fra 1850 til 1863. Det må ha stått en stadig kamp mellom hans ubendige natur, som krevet uttrykk, og skyheten, engsteligheten i hans skremte, hemmede sinn.

I de seks-syv årene da han var teatersjef ved «Det norske Theater» i Møllergaten (fra 1857 til 1863) gjennomgikk han en særlig kritisk periode. I disse årene var han lenger nede enn noen gang før eller senere i sitt liv. Han trengte medgang nå, men den kom ikke. Så skaffet han seg den, øyeblikksvis, så godt han kunne. Teatrets direksjonsmøter måtte undertiden holdes på L'Orsas kafé i Møllergaten, hvor direksjonen «tilfældigvis havde bragt i Erfaring at den artistiske Direktør befandt sig».

Han gjorde ikke fyldest for seg i sin stilling, han visste det selv, andre visste det og lot ham vite det. Han bet ydmykelsene i seg.

En gang skulle det skrives et hyldningsdikt til kongen, som var ventendes på ett av sine sjeldne besøk. Da den departementsmannen som hadde fått i oppdrag å skaffe diktet til veie, ikke kunne få noen av de «bedre dikterne» til å lage det, måtte han til slutt gå til «den sølle Ibsen». Han fant dikteren liggende til sengs med en dundrende hodepine. Men da han hadde fått et par drammer og ispose på pannen, ble diktet laget i en–to–tre. At det ble derefter, er en annen sak.

Ydmykelser, rangel for å søke trøst, nye ydmykelser, ny rangel . . . Og årene gikk.

Bjørnson hjalp ham. Bjørnson, den seierrike vennen, nei, fienden, den fordømte Aladdin! Hjelp fra ham – den verste av alle ydmykelser.

43

Vi vet, det hendte at det sto om livet i disse årene. Bjørnson reddet ham en av de gangene også.

Men merkelige ting laget «den sølle Ibsen» innimellom, i de små fristundene han klarte å skaffe seg. Han skrev det store diktet «Paa Vidderne» om sin egen krise; men først og fremst skrev han «Terje Vigen», dette diktet som på enhver måte er et mirakel; et mirakel av episk diktning med dypt og fritt åndedrag, og et mirakel rent sproglig – femti år forut for sin tid. Den dagen da han skrev de siste linjene av det diktet, har han i hvert fall vært lykkelig.

Og langsomt slet han seg ut av krisen. Fra da av visste han for levetiden, at han kunne ikke seire ved juks og efterligning. Skulle han nå frem, måtte det være ved å tone flagg og være seg selv.

*

Endelig, i 1863, skjer omslaget. «Konsemnerne» utkommer, og Ibsen får et større reisestipendium. Året efter reiser han fra Norge og blir, med korte avbrytelser, utenlands i nesten 30 år.

Fra nå av går det fort fremover. «Brand» og «Peer Gynt» utkommer, de økonomiske vanskeligheter er over, selvtilliten – den dikteriske – innfinner seg, skjønt ennå lenge er det noe hektisk også over den, som tyder på at usikkerheten ligger på lur ikke langt unna. Om «Peer Gynt» skriver han til Bjørnson (i anledning av en ugunstig kritikk av en dansk kritiker, Clemens Petersen): «Min Bog *er* Poesi; og er den det ikke, skal den blive det. Begrebet Poesi skal i vort Land, i Norge, komme og bøje sig efter Bogen.»

Men om tilliten til de dikteriske evner omsider var til stede, så lot den rent menneskelige skyhet og usikkerhet seg ikke overvinne. Den var stemplet i ham for levetiden.

*

På sin samtid virket «Brand» oppskakende som et vulkansk utbrudd. Stykkets krav om «intet eller alt», dets fordring «hvad du er vær fullt og helt og ikke stykkevis og delt», dets voldsomme angrep på «akkordens ånd» måtte virke dobbelt sterkt like efter den dansk-tyske krig i

1864. Stykket ble – og sikkert med rette – oppfattet som delvis inspirert av Ibsens harme over det norsk-svenske «forræderi» mot Danmark. Både Ibsen og Bjørnson var jo heftig forbitret over at ikke Norges Storting og regjering oppfylte de løfter om ubrødelig samhold i Norden, som glade studenter hadde gitt hverandre på de skandinaviske studentermøtene.

Som motsetning til den feighetens og kompromissets ånd som han mente hadde preget den norske og svenske politikk i denne tiden, oppstiller Ibsen idealskikkelsen Brand, den sterke fanatikeren som ikke kjenner unnfallenhet, som skyver alle menneskelige hensyn til side og går sin vei langs idealets rette linje, ut i ødemarken og den storslagne tillintetgjørelsen.

På en senere, mer skeptisk generasjon virker «Brand» absurd og umenneskelig. Hovedpersonen kan ikke vekke vår begeistring, ikke vår deltagelse, knapt nok vår interesse, vi får snarest litt hodepine av hans påtrengende veltalenhet og hans tunge jernbeslåtte ironi. Men hvis vi vil dømme skuespillet rettferdig, må vi vurdere det ut fra dets egne og dikterens forutsetninger.

For det første må vi huske på, at de ubønnhørlige kravene vi møter i «Brand», det er det hemmede – og derfor utenforstående – menneskes krav til dem som deltar mere aktivt i livet enn han selv kan gjøre, som han av den grunn misunner litt i all hemmelighet, og som derfor skal få dobbelt på pukkelen for sine elendige kompromisser.

Men et betydelig dikterverk betyr aldri bare én ting. Skulle det ikke også la seg forsvare å oppfatte «Brand» som et slags forenet nøds- og jubelskrik fra en mann som lenge, lenge har følt seg trykket, redd og usikker, men som nå endelig tør og vil vedstå hvem han er? «Brand» får ganske god mening om vi oppfatter det som Henrik Ibsens slag i bordet til seg selv: lenge nok har han gått i andres ledebånd, lenge nok har han skjelet sky og redd til høyre og venstre, om han også torde *det* – og *det* – og *det* – lenge nok har han vært en brøk i stort, en brøk i smått, en brøk i ondt, en brøk i godt. Nå skal det bli en annen dans! Nå skal Ibsen stå frem og være Ibsen, om så himmel og helvete forener seg mot ham!

Vurdert som et lenge undertrykt sinns hektiske selvhevdelse, får iallfall «Brand» en menneskelig interesse, som stykket ellers må savne. «Brand» var, hvordan man ellers vil oppfatte det, et så ensidig arbeid at det likefrem krevet en motvekt som kunne avbalansere det. Den kommer med «Peer Gynt». Hvis Brand er den idealskikkelsen som Ibsen ville stille opp foran seg som en skystøtte om dagen og en ildstøtte om natten, så er Peer Gynt den djevelen som dikteren har bestemt seg til å forsage og avsi med alle hans gjerninger og alt hans vesen. Peer Gynt er halvhetens, løgnaktighetens, selvbedragets representant. Han representerer også hele den nasjonalromantikken, alt det nasjonale skrytet, som Henrik Ibsen i mange år hadde gått i tjeneste hos, men som han nå en gang for alle ville være ferdig med. Og endelig – hvis vi ville gjennomføre det samme synspunkt som for «Brand» – kunne vi si at den generte, sky og selvkritiske Henrik Ibsen setter seg til doms over den uhemmet livsfriske, uhemmet lyvende, fantaserende, skrytende og forførende Peer Gynt.

Men se, dikteren er rettferdigere og mildere i sine gjerninger enn i sine tanker. Peer Gynt, som representerer så meget forkastelig, representerer blant annet også så meget av dikterens eget undertrykte livsbegjær, så mange av hans hemmelige ønsker, at han mang en gang blir litt av en eventyrlig idealskikkelse samtidig som han er den djevelen som forsages. Derav dikterverkets enestående rikdom, dets mangfoldighet og mangetydighet, dets friskhet og liv. Det er blitt et sentralverk i Ibsens produksjon, ikke bare fordi det avslutter en periode og danner overgangen til en ny, men fordi det rommer flere av Ibsens egenskaper enn noe annet av hans verker, det gir oss ham selv mere umiddelbart enn noe annet drama i hele hans produksjon. Mens de symbolske skriftemåls-dramaene fra hans alderdom er så sinnrike i sin konstruksjon at man fornemmer deres tilståelser som premiegåter, og mens de mektige verkene som utgjør toppen av hans diktning – «Gengangere», «Vildanden» og «Rosmersholm» – øver sin trolldom på oss, mørk og farlig som de gamles *seid*, så virker «Peer Gynt» og det alene blant alle Ibsens dramaer, som en solblank dag – et langt stykke på vei i hvert fall. Midt i den store skaren av livsudyktige mennesker som Ibsens diktning vrimler av, Brand, Osvald, Gregers Werle, Hedvig, Hedda Gabler, Rosmer, Rebekka West, John Gabriel Borkman, og de to «døde», professor Rubek og Irene, midt i denne skaren står Peer Gynt og skiller seg ut ved sin lyse, freidige livsdyktighet – tross alle sine skavanker. Den setningen at diktning er en utløsning av hemmet livsbehov, er sjelden blitt bekreftet på en eiendommeligere måte enn i personen Peer Gynt.

*

Men vi må nok en tur tilbake igjen til mannen bak verkene. Det er straks iøynefallende hvilke besynderlige motsetninger Henrik Ibsens karakter rommet. Han var samfunnsomstyrter og konservativ, verdensånd og spissborger, opprører og snobb, anarkist og storkorsbærer, ranglebror og pedant, frihetsforkynner og pliktmenneske. Han var løvemodig i sin tanke, men en høne var ikke mere redd for regn enn han for skandale.

I sitt to binds verk om Ibsen gir Halvdan Koht mange glimt av mannen bak dikterverkene. En hel del av opplysningene var nye, i hvert fall for meg.

Om Ibsens snobberi gir Koht mange slemme opplysninger. For eksempel de følgende: I 1869 var Ibsen en tur i Stockholm, der han ble feiret både av kunstnere, borgere og adel, ja, til og med av kongen: «Det var første gongen at den fine verda soleis opna seg for Ibsen, og han var reint barnsleg glad og takksam for det. Han som ein gong hadde vore so djupt nede i samfunde, kjende det som ei uppreising at den øvste yverklassa no tok imot han og hylla han. – – – Heile live hadde han trådd etter alt som var fagert og fint, og det var balsam for sjela å få vera med i det.»

Like efterpå er han i København, og ber en av vennene sine hjelpe ham til å få Dannebrogs-ordenen. «Han skjemta litegrand med sin eigen «honnette Ambition». Men han meinte det ålvorleg, han la vekt på saka, og han trudde slik ein orden skulde vere «en mægtig støtte» for vyrdnaden hans i Noreg. Då han so vart ridder av Dannebrog i januar 1871, etter «Kongs-emnerne» var spela på det Kgl. Theater, var det ikkje ende på kor han takka for æra: «Jeg vil aldrig kunne være

47

noksom taknemlig mot de mænd, der har bevirket dette! Nu vil mine landsmænd finde min digtsamling dobbelt så god som ellers.»»

Koht forteller videre: «Han stasa seg til med ordnar når han gjekk ut på kafé, han fotograferte seg med ei heil kjede av ordnar – han tyktes lyft upp imellom besteborgarane på den måten.»

På en av kladdene til «Keiser og Galilæer» finner man en hel rad med forskjellige ordener, tegnet ned av dikteren i en tankefull stund.

Nå understreker Koht, og sikkert med rette, at det var ikke *bare* snobberi som fikk Ibsen til å jage slik efter ordener. Der lå også den fornuftige tanke bakom, at han ville øke sin autoritet – sin autoritet hos spissborgerne, må man nødvendigvis tilføye. Den samme mannen var det som med lyst ville legge «torpedo under arken».

Kohts verk gir nok av eksempler på andre underlige motsetninger hos dikteren. En gang skriver han om den «indre opløsning» som radikalerne fører folket frem mot, og er forbitret på den konservative regjering fordi den ikke er hensynsløs nok: «Folk, der lader Jaabæk og Bjørnson gaa paa fri fod, kvalificerer sig selv til at puttes i hullet.»

Dette er den samme mannen som tidligere hadde stått Thraniterbevegelsen særlig nær, og som skalv for fengslet den gang.

Litt senere er det atter annen klang i stemmen: «Gid det snart blev revolusjon der hjemme! Thi da skulde det være en av mine største fornøielser at stille mig på barrikaden, for at skyde ned norske odelsbønder.»

Som man ser: påfallende er ikke bare motsetningen mellom standpunktene, men også heftigheten i hvert enkelt standpunkt. Vi støter her på et fenomen som den nyere psykologi har viet ganske stor oppmerksomhet, men som kloke folk alltid har visst forklaringen på: Hvor man møter en slik svingende holdning – og samtidig en slik heftighet – der kan man ane en dypt rotfestet indre usikkerhet, en sterk mindreverdighetsfølelse rent ut sagt, for å bruke et langt og stygt ord. Hva Ibsen angår, så peker hans lyst på ordener og hans ærefrykt for «de fine» tydelig nok i samme retning. Og i nøyaktig samme retning peker den heftige og pripne selvhevdelsen hans. Koht forteller (det er fra Rom 1867–1868, efter at «Brand» og «Peer Gynt» var utkommet):

48

«– det satt i han ein trong til å verje um vyrdnaden sin; støtt var han redd at nokon skulde mismæte han. Hende det eitkvart som kunde bli teke for at ikkje han eller huslyden hans fekk same æra som andre – um det t. d. gjekk noko gale med ei innbjoding, – så fauk han opp og vilde ikkje la krenkinga gå åtalslaust. Sjølvkjensla hans var driven upp i ovmåten. Det hende på eit gilde i Skandinavisk Forening at einkvan fann på å holde tale for dei som hadde sytt for maten og vinen – det var Ibsen og ein annan, – då stod han upp og trødde hardt i golve og sa: «Min skål skal ikke drikkes med den motivering at jeg er medlem av matkomitéen!»

Han var full av skryt i denne tiden. Han satt og snakket om hvordan han skulle «regjere dem alle sammen der hjemme». Han slo stadig på at han diktet ikke bare for den nærmeste fremtid, men «for evigheten». Og hvis noen mumlet at tusen år var en lang tid, ble han rasende: «Røver du mig evigheten, røver du mig alt!» De var redd ham, de andre der nede. Alt i alt var han nok en temmelig ubehagelig person å være i værelse sammen med.

Koht sier: «Det var berre naturlig at han visste kva han var verd.» Men det var vel nettopp det han ikke visste, eller ikke var sikker på. Den som er sikker, trenger ikke å skjelle og smelle og skryte, han kan ta tingene med ro.

*

En vesentlig del av Ibsens sosiale usikkerhet, hans hemmede og mistenksomme natur, kan nok føres tilbake til hans ulykkelige barndom og ungdom.

Han ville aldri som voksen mann ha noe med sin familie å gjøre. (Søsteren danner den ene unntagelsen.) De som kan lese mellom linjene, kan derav slutte, hvordan tanken på barndommen pinte ham.

En liten innvending mot Kohts bok kan her være på sin plass: Koht forteller om Ibsen som gammel mann: «Han gav seg gjerne i prat med barna på folkeskulen tett attmed bustaden hans, Ruseløkka, og han fekk dei til å kappes um småpengar han slengte ut mellom dei; han kunne le så hjarteleg når han såg på leiken.»

49

Det må være tillatt å dra godsligheten til den gamle dikteren litt i tvil. Hvordan var det med småskillingene på skoleveien? Historien minner om en annen stor dikter, Egil Skallagrimson. Da han var blitt gammel og blind, satte han seg på tinget, slengte sølvpenger ut blant almuen og gottet seg inderlig da han hørte slagsmålet. Akk, Ibsen hadde så altfor mange ting å hevne. Barneårene, årene i apoteket, den lutfattige studentertiden, alle famle-årene, rennestenene i Møllergaten, de fordømte besteborgerne som satte ham på plass, kritikerne som så ham over hodet – til og med plagiat ble han beskyldt for – all feigheten og angsten som forsinket ham i år efter år, inntil han, da skibet bokstavelig sank under ham som båten under Terje Viken, ble nødt til å stå ved hvem han var og kaste seg ut på den blanke uvisshets tusen favner.

Men å få tatt hevn for alt det der, det var like ugjørlig som det var ugjørlig for Egil Skallagrimson å få hevnet seg på det havet som tok livet av sønnen hans.

*

I sine storhetsdrømmer så den unge Henrik Ibsen seg selv ikke bare som stor dikter, men som folkefører og profet. I en stipendieansøkning skriver han at han vil lære det norske folk å tenke stort.

Men da evnen til å stå frem som profet på torv og talerstoler ikke var blitt ham skjenket, måtte han gå omveien om diktningen. Fra det øyeblikk av, da han er sikker på seg selv som dikter, blir førertonen umiskjennelig. I «Brand», i «Peer Gynt», i «Samfundets Støtter», «Et dukkehjem», «Gengangere», «En Folkefiende», kan vi fornemme førerens vilje og profetens røst. Vi møter en dikter som setter seg intet mindre mål enn å etablere seg som nasjonens moralske høyesterett og orakel.

Og til slutt var han ikke så langt fra målet.

Med «Gengangere» og «En Folkefiende» hadde han i virkeligheten distansert vennen og arvefienden Bjørnson, som til sin egen skade sløset med sine evner og spredte dem over altfor mange områder. Med langt større ondartet konsekvens enn Bjørnson rådet over, kunne han presentere folket den ideale fordring: Vær i sannhet!

50

Det forbitrelsens skrik som «Gengangere» vakte, var i virkeligheten en utmerket opptakt til en kommende nesegrus dyrkelse. Da, plutselig, er Ibsen gått trett av å være forkynner og refser. Han har passert sin fysiske krafts middagshøyde nå, og de tidligere dagers usikkerhet vender tilbake som tvil om verdien av hele profetgjerningen. I det merkelige skuespillet som heter «Vildanden» – verdenslitteraturens mest fullkomne drama som det er blitt kalt – tar han hele sin virksomhet opp til revisjon og stiller seg selv i gapestokken i den enfoldige narr Gregers Werles skikkelse. Hva kan det nytte å kreve sannhet og ærlighet av menneskene? Livsløgnen er et livsbehov for gjennomsnittsmennesket. Og du som går omkring og krever sannhet av andre, er du ikke selv en hul frasehelt for Vårherre?

Det kommer en ny og mere dempet tone over Ibsens diktning fra da av.

Efter «Rosmersholm», som ennå trekkes med noe av et program, men som først og fremst er et psykologisk drama, kommer «Fruen fra Havet» og «Hedda Gabler», som tilsynelatende bare er psykologiske studier, resultatet av skarpe øyne, rettet utad, mot medmenneskene.

Men nei, ikke bare. Det hadde den nå litt aldrende mesteren også lært i de onde kriseårene, at hvis ikke de menneskene han skildret, hadde dråper av hans eget blod og forgreninger av hans eget nervesystem, så ble dramaene ikke levende liv, men bare dødt blekk.

Berømmelsen steg. Og årene gikk.

*

Ibsens skyhet og usikkerhet kan vi på sett og vis finne forklaringen til.

Det kunne han selv også. Skoen trykket allikevel såpass, at han tar opp problemet gang på gang, om så bare ved hjelp av en biperson eller to.

Men han hadde en annen grunnegenskap med dypere røtter. Han var i ganske usedvanlig grad et pliktmenneske. Derom vet vi en hel del fra hans private liv.

I diktningen hans står det mindre om plikt – direkte da. Derimot

51

står det desto mere om frigjørelse. Og når en mann strever og strever et helt liv igjennom med å «frigjøre seg», da kan vi gjette at det er ganske sterke bånd som binder ham.

Det viser seg hos Ibsen en eiendommelighet, som forøvrig ikke han er alene om. Han frigjør og frigjør seg; men det er som om selve frigjørelsen på gåtefull vis forvandler seg til nytt ansvar, nye bånd, nye plikter. Fattigdommen tynget ham i ungdommen som en ulidelig lenke; han ble rik, og rikdommen bandt ham daglig i timevis til skrivebordet, der han samvittighetsfullt skjøttet sine forretninger. Han frigjorde seg fra åndelige fordommer gang efter gang – og i samme øyeblikk lå nye bånd omkring ham, verdighetens, berømmelsens, ærens og autoritetens forpliktelser. Blant annet hadde han en usedvanlig evne til å lage seg utbrytelige *vaner*, som låste hans dag fast og lenket ham til bestemte stive former for tilværelse. Han kom hjem til Norge omsider, og skapte seg straks den vane å gå på et bestemt klokkeslett fra Victoria Terrasse og ned til Grand, der han drakk sin konjakk og sitt øl og leste sine aviser, hvorefter han, likeledes på bestemt klokkeslett, dro hjem igjen. Hver dag utførte han dette så uunngåelig som om det skulle vært en tvangshandling, med en presisjon så universitetet kunne stille uret efter ham.

Og omkring ham bruste livet. Han satt der med sine plikter og sin skyldfølelse. Så var det altså at han samlet all sin oppmerksomhet, all sin fenomenale åndskraft, all sin gjennomtrengende skarpsindighet, og rettet sitt hvasse blikk som en klinge inn mot sin egen indre verden. Det var en siste avgjørende frigjørelse det gjaldt. Han formet sine ønsker i slagord efter gammel vane, han fordømte sin egen «skrantne samvittighet», han drømte om «glade adelsmennesker».

Glade adelsmennesker! sier Rosmer – og kaster seg i Møllefossen.

Han boret og boret ned til dybdene i sitt eget sinn for å finne ondets rot, roten til all skyldfølelsen, pliktfølelsen, ansvarsfølelsen, livsangsten. Han laget noen av sine dypsindigste dikterverker i sin alderdom – «Lille Eyolf», «Bygmester Solness», «John Gabriel Borkman», «Når vi døde vågner». Stoff manglet han sannelig ikke; efterhvert som de fysiske kreftene dalte, meldte alle skruplene seg på ny. De kom, som de grå nøstene til Peer Gynt, og forlangte å bli nøstet opp om igjen og om igjen.

Formen i disse skuespillene er eiendommelig. Den kan sies å være påtvunget dikteren av konflikten mellom hans eget krav om ubetinget oppriktighet og hans personlige skyhet og angst for blottelse. Den symbolske uttrykksformen var under de forhold den eneste mulige. Og så hører vi da diskusjoner om byggverker og tårn, eller om statuer som er skapt på bekostning av liv, eller store forretninger som er skapt med lignende omkostninger. Fant han roten? Ny tvil, ny syk samvittighet spiret opp i den gamles sted. Bare når han diktet, kunne han drømme at han krøp ut av hammen og var *fri*. Efterpå var alt fremdeles ved det gamle, han satt der han satt, og livet, det glade, ubekymrede livet som han alle dager hadde lengtet efter, strømmet atter utenom ham.

Spilt liv – det er omkvedet i disse alderdomsverkene. Så ser vi da, hvordan denne diktningen, som i sitt utgangspunkt var et veldig forsøk på å finne erstatning for manglende umiddelbar livsevne, vender tilbake i seg selv, i dikterisk jammer over det liv som dikteren ikke fikk levet på grunn av diktningen.

Perpetuum mobile er jo i gang . . .

Gustav Frøding har skrevet et dikt om et gammelt bergtroll, som rusler avsted i dalen mellom menneskene, og så nødig vil tilbake til det ødslige fjellet. Menneskene står på trygg avstand og peker fingre av ham; men en ung pike har sett så blidt på ham. Henne tenker han på:

Jag ville klapp'na och kyss'na,
fast jag har allt en för ful trut,
jag ville vagg'na och vyss'na
och säga: tu lu, lilla sötsnut!

Och i en säck vill jag stopp'na
och ta'na med hem til julmat,
och sen så äter jeg opp'na,
fint lagad på guldfat.

53

Men hum, hum, jag är allt bra dum,
vem skulle sen titta milt och gott,
en tocken dumjöns jag är, hum, hum,
ett tocke dumt huvud jag fått.

Det kristenbarnet får vara,
för vi troll, vi är troll, vi,
och äta opp'na, den rara,
kan en väl knappt låta bli.

Men nog så vill en väl gråta,
när en är ensam och ond och dum,
fast litet lär det väl båta,
jag får väl allt drumla hem nu, hum, hum.

Alexander L. Kielland

(1949)

Bjørnson har fortalt om første gang han møtte Alexander Kielland. Det var om våren 1878. Bjørnson bodde i Paris, og Kielland var kommet dit ned på sin første større utenlandsreise. Kielland var 29 år, av gammel patrisierslekt fra Stavanger; han hadde tatt sin juridikum noen år tidligere, hadde giftet seg og var nå teglverkseier og fin mann i sin by. Men i all stillhet hadde han begynt å skrive, og hadde noen noveller med seg nedover. Bjørnson traff ham på et stort ball som den franske president holdt på slottet i Versailles.

Han var, skriver Bjørnson, «den stauteste og vakreste mand blandt disse tusen . . . Han tog sig ud som en aabenbaring fra et større og kraftigere folk. Alle saa paa ham; de kunde bare ikke begribe hvorfor han ingen af sine storkors havde paa; thi han var da mindst en kongelig prins fra et fjernt sneland, hvis slekter endnu havde race. Og jeg negter ikke, at jeg blev stolt da han kom over til mig og talte norsk . . . denne gudernes yndling, der traadte fuldt færdig ind i litteraturen med nyt emne, ny stil og med en glans over det som av sin egen person i Versailles . . .»

Bjørnson var til sine dagers ende klart og åpenlyst forelsket i Alexander Kielland – i all uskyldighet, bør man kanskje tilføye nå i Kinsey-rapportens dager. Kielland på sin side smeltet nok delvis av så megen varme – hvem ville ikke gjort det? Han var glad i Bjørnson; men samtidig lo han litt av ham, følte seg ofte irritert over ham, og gjorde undertiden narr av ham opp i hans åpne ansikt – det skulle ellers de fleste passe seg for.

Kielland debuterte i 1879 (det året da Ibsen utga «Et dukkehjem») med en samling «Novelletter». I de følgende årene utfoldet han en fabelaktig produktivitet. I 1880 kom den store romanen «Garman & Worse», tre små skuespill og et bind «Nye Novelletter», i 1881 romanen «Arbeidsfolk» og fortellingen «Else», i 1882 «Skipper Worse» og «To Novelletter fra Danmark». I 1883 kom «Gift». Fire av norsk litteraturs hovedverker på fire år – foruten de mindre tingene. Teglverkseier var forfatteren fremdeles, og han fikk dessuten en mengde tid til overs til familieliv, selskapsliv og ferieturer til Jæren, det landskapet han elsket høyest her i verden.

I nordisk litteratur tror jeg bare vi kjenner to sidestykker til denne årelange, voldsomme skaperkraften: Wergeland hadde den så å si ustanselig, og Strindberg i tre–fire perioder av sitt rastløse liv.

Men Kielland la – tilsynelatende da – en mere beskjeden målestokk på sin diktning enn disse to. Han skriver til Edvard Brandes:

«At være en ærlig Tilhænger af Nyttepoesien er min Stolthed.»

Den meningen beholdt han livet ut. Kunst for kunstens skyld, psykologi for psykologiens skyld – intet kunne ligge ham fjernere. Patrisiersønnen var moralist, sint mann og opprører. Hans diktning var et ledd i en kamp. Mens han arbeidet på sin siste roman «Jacob», skrev han til Georg Brandes, og fant det påfallende «at i en Tid der for mig staar som enestaaende ved den almindelige Svækkelse af de simpleste og mest elementære «Dyder»: Paalidelighed mellem Mandfolk i Penge, i Politik, i dagligt Liv; i en Tid hvor stor og samfundsfarlig Reaktion ikke længer sniger sig frem, men mer og mer tager Gud under Armen og trodser sig frem; i en Tid hvor Varslene er saa mange om simple sociale Madspørgsmaals blodige Løsning – at i en saadan Tid Litteraturen føler Trang til at krybe under en Sten for at være psychologisk! Istedenfor at hidse og hidse det brænnende, opvarmer man hinanden og sig selv med nærgaaende Snusen i alle Alkover: Hvem har dyppet hist og hvem der, og hvorledes det smagte.»

Og han skriver videre:

«Disse Kvindesjæle som skal være saa komplificerede? . . . tre–fire Lidenskaber i det høieste, hvis man vil gjøre sig den Uleilighed at skille Forfængeligheden i Magtsyge og Misundelse.»

Var Kielland selv en dårlig psykolog?

Han brukte aldri noe psykologisk «apparat». Det kan vel også innrømmes at han sjelden gikk i dybden. Kvinner lærte han aldri å tegne, der klikket det for ham gang på gang. Det kan henge sammen med hans bluferdighet, som nektet ham å gjøre bruk av intime erfaringer. Men ellers?

Skikkelsene hans er lys levende. De er ikke bygget opp med tusen detaljer, men tegnet opp med noen få ubønnhørlige streker. Glemmes skal det kanskje heller ikke, at han har skapt en skikkelse som Abraham Løvdahl. Vi kan følge hans utvikling gjennom tre romaner («Gift», «Fortuna» og «Sankt Hans Fest»). Tilsammen har vi her den beste psykologiske skildring som norsk litteratur overhodet eier av et menneske som det opprinnelig ikke er noe «ondt» i, ja, som er edel, følsom og sympatisk, men gradvis oppløses og ender med å gå i hundene, fordi han har en eneste avgjørende brist i karakteren – feighet i det avgjørende øyeblikk.

Bedriften blir enda større, når vi vet at denne skildringen på sett og vis er et selvportrett, et slags Mene Tekel som forfatteren skriver på veggen: Slik kunne du selv ha blitt, hvis . . .

Det meste av nyttepoesien i verden bærer i seg en tendens som ikke er tilsiktet – den blir fort foreldet.

Kiellands diktning har ikke fulgt den loven. Her skal ikke foretas noen mannjevning mellom de «fire store» norske dikterne. Men så meget kan vel sies, at om Kielland ikke var så dyp som Ibsen, eller så rik som Bjørnson, eller så flittig som Jonas Lie, så er det kanskje Kielland vi leser med størst fornøyelse i dag.

Det kommer for det første av, at tross alt snakk om nyttepoesi var han i utpreget grad kunstner. Han visste meget godt at den beste tendens i verden i og for seg er en død ting. Skulle en bok virke, skulle den bite, så måtte det døde gjøres levende, det måtte skapes mennesker, billeder, situasjoner, handling. Og Kielland visste en ting til, som er en del av hemmeligheten ved hans stil: Det burde aldri være dikteren selv som sa de store, anklagende ordene. Dikteren skulle fortelle,

57

men fortelle slik at *leseren*, når han var ferdig med boken, fór opp, veltet møbler og ropte de ordene som dikteren i all stillhet hadde lagt i munnen på ham.

Men Kielland hadde enda en hemmelighet – og det er kanskje hans største og fineste egenskap. Han var ikke bare en sint, men samtidig en munter mann. Siden Holberg har dansk eller norsk litteratur ikke frembragt noen muntrere. Denne munterheten er til stede i alt han skriver, den glitrer som solskinn på bølger. Det er en munterhet som smitter – dikterens sinne og munterhet gjør leseren sint og glad.

Den muntre ironien i stilen var i virkeligheten Kiellands farligste våpen.

En av hovedpersonene i «Gift» og «Fortuna» er en forhenværende øyenlege, professor Løvdahl, en konvensjonell, uklanderlig løgner, siden svindler, til slutt grov hykler. Da han har spekulert feil og ruinert seg selv og en stor del av byen, redder han seg ved fromhet og går botsgang til kirken, støttet, skriver Kielland «til Betlerstaven – alle kunde se den, den var af brunt Rør med Elfenbenshaandtag».

Men denne munterheten, den ble aldri hovedsaken for Kielland. Den bare var i hans sinn som en gave fra en nådig skjebne, og han var glad for den, det er klart. Men det viktige, det var opprøret og forbitrelsen. Han skriver til broren, prost Jacob Kielland:

«Bliv mig fra livet med Eders Mæglinger, Retfærdighed, Upartiskhed, seen fra begge Sider – og alt dette Snøvl, der omhyller og afstumper den hellige Indignation . . . lad ingen bebreide mig det Raseri, som giver det hele sin Glød; thi det er min Gave, min Gnist, mit store Patent.»

Ja, han skrev bevisst ensidig, og han brukte fullt bevisst overdrivelsen som virkemiddel. Han skriver, atter til sin bror prosten (det er «Arbeidsfolk» det gjelder):

«Naar Folk sover tungt, hvisker man dem ikke i Øret: Staa dog op og tag fat paa alle dine Stræv; men man raaber: Brand, og naar de faar gnedet Søvnen og Sinnet af sig, takker de ham, som raabte, at de kom tidlig paa Benene og kunde begynde Dagens Værk. Den som vil vække, maa overdrive . . .»

58

Det fins en tredje og meget viktig grunn til at Kiellands diktning nå atter lever – den har ikke alltid gjort det, nemlig; der har vært tider da bøkene hans sto og samlet støv i hyllene. De gjør det ikke lenger; for hans problemer er påny blitt uhyggelig aktuelle.

Der er en selsom likhet mellom den politiske og økonomiske situasjon i Norge i tiden 1880–90 og situasjonen i Norden og en stor del av verden i dag. En stor folkebevegelse (Venstre) kjempet seg den gang frem til makten. Så satte de nye seg til rette i maktens hynder. Og der hadde de ikke sittet lenge, før de indre motsetninger i bevegelsen viste seg. Radikalisme og frisinn hadde vært bra våpen mens man var i opposisjon. Nå lød det andre signaler.

Kielland hadde vært en god hjelper i opposisjonstiden. Han hadde avslørt korrupsjonen og byråkratiet innen embedsstanden (i «Arbeidsfolk»). Han hadde vist frem det religiøse bigotteri (i «Skipper Worse» og «Sankt Hans Fest»). Han hadde gått til kamp mot den autoritære skole (i «Gift»). Han hadde hudflettet kirkens hykleri i alle sine romaner. Alt sammen bra nok i sin tid. Men nå var Venstre blitt *partiet ved makten* og dermed samfunnsbevarende. Kirken? Den burde man nok holde seg til venns med. Byråkratiet? Men nå skulle jo venstremenn gradvis plaseres i alle ombud. Skolen? Å, den gamle skolen hadde da vært bra nok hittil, *kristendom* lærte man iallfall der . . .

Kielland fulgte denne utviklingen nøye; og mer enn én gang tenkte han vel om igjen noe lignende som det han i sin tid skrev:

«Det er ikke frit for at naar jeg sidder fed og fornøiet og pudser min blanke staalpen, farer det igjennem mig med ond Samvittighed. Var det ikke bedre at staa paa Gaden med Strindberg og kaste Sten i de pene Vinduer?»

Men det var ikke de pene vinduene i og for seg han var en fiende av. Han skriver – og ordene er gyldige som gull den dag i dag:

«Det er en underlig Overtro blandt Menneskene, at den der vil elske og hjælpe andre – især nedover, maa begynde med at forlade sin Sfære og i det Ydre stige ned til de andres Standpunkt. For mig staar det klart, at det er dette uhyre Skaberi, som har ødelagt de fleste gode Bestræbelser i vort Land.»

59

Alle motsetningene eksploderte under stortingsdebatten om dikter-gasje til Kielland. Da reiste bøndene og de lavkirkelige seg til protest. Der ble uttalt de minneverdige ord, at om Norge hadde hatt en dikter som Voltaire, og det var blitt snakk om å gi ham nasjonalbelønning, så ville nok de fleste ha betakket seg. Kielland fikk ingen diktergasje, og Venstre sprakk i to.

Kiellands svar på hele denne utviklingen finner man i hans to siste romaner «Sankt Hans Fest» og «Jacob». I «Sankt Hans Fest» er det den maktsyke og bigotte lavkirkebevegelsen (som blomstret under Lars Oftedals ledelse) han går løs på. I «Jacob», som utkom i 1891, skildrer han den nye grådige strebertypen.

I tolv år hadde han utgitt bøker nå. Han følte seg tom. Allerede 1888, da han var 39 år gammel, skrev han i et brev:

«I to Aar har jeg ikke følt stort andet i mig end Overgangen til at blive gammel; det er utrolig hvor fort det er gaaet med mig.»

I 1890 debuterte den ti år yngre Knut Hamsun. Brødrene Brandes, Kiellands venner, hilste ham med fanfarer og satte ham så å si på Kiellands plass.

Hva tenkte Kielland selv ved det? Det sa han ingenting om.

Han var 41 år i 1890 – og en trett mann.

I «Jacob» er han fremdeles sint; men det meste av munterheten er borte. Han selv var den som best merket forandringen. Han trakk seg stille tilbake. Han ble embedsmann – først borgermester i hjembyen, siden amtmann i Møre og Romsdal med bopel i Molde.

Der er skrevet meget om årsakene til at Kielland så tidlig ble taus. Vi vet at han led av dårlig hjerte, og at en stoffskiftesykdom satte inn, så han fikk en art av sovesyke. Men dertil kom at han trivdes dårlig i den nye tiden. De to årsakene har vel grepet inn i hverandre og for-sterket hverandre.

Glad var han ikke lenger, eller ikke ofte. I 1903 skriver han til en venn: «Ak! Hvad er Meningen – eller tror du der er noget man kunde kalde Mening med dette Liv? Jeg giver mig ikke over – langtfra; men jeg synes det er så sørgeligt.»

I 1906 døde han, stille og i ensomhet.

60

Gunnar Heiberg 70 år

(1927)

Å skulle overta den norske dramatiske diktning umiddelbart efter Henrik Ibsen – Bjørnson var jo ikke dramatiker i den forstand at han skapte noen dramatisk tradisjon – det ville si å bli stilt på en Urias-post, i en grad som vi vanskelig kan forestille oss nå så lang tid efterpå. Det var ikke bare Ibsens kolossale autoritet efterfølgeren måtte stå i skyggen av. Han måtte stå i skyggen av det kolossale faktum – som var mer enn de titusen intetanende tilbedere kunne vite – at denne autoritet var fullt berettiget fra et rent kunstnerisk synspunkt. Som dramatisk kunstner hadde Ibsen virkelig nådd det høyeste som det efter menneskelig målestokk var mulig å nå. Han hadde skapt en ny teknikk for det moderne drama og hadde selv utviklet denne teknikk til toppen av fullkommenhet. Ansikt til ansikt med dette faktum kunne det nok være fristende for efterfølgeren å spørre med Hjalmar Ekdal i «Vildanden»: Hva skulle han finne opp? Allting var jo funnet opp i forveien.

Og allikevel kunne han vite med seg selv at han sto på en uhyre viktig post. Det var nå det skulle avgjøres om norsk dramatisk diktning skulle få to ben å gå på og fortsette som en levende organisme på marsj fremover, eller om den skulle bli hvor den var, og gå i forstening som et gudebillede, en gjenstand for kommende slekters golde dyrkelse.

Det var en Urias-post, hvis daglige farer og vanskeligheter vi ikke lenger kan se i alle detaljer. Det var Gunnar Heiberg som ble stilt på denne posten – alene. Og i dag, på hans 70-års dag, kan vi slå fast at han kom lys levende fra den.

Hvis vi vil skjematisere, kan vi si at en dramatiker som ville føre det norske drama videre efter Ibsen, hans arbeide falt i tre stadier. Han måtte tilegne seg Ibsens teknikk; for utenom den kunne man ikke komme. Han måtte atter frigjøre seg fra den. Og han måtte skape seg sin egen, som førte videre.

På hvilken måte Gunnar Heiberg betegner noe nytt i forhold til Ibsen, ser vi klarest av hans satirer og komedier. Ta dem i rad og rekke – «Tante Ulrikke», «Kong Midas», «Folkerådet», «Harald Svans mor», «Jeg vil verge mitt land», «Paradesengen» – og det vil vise seg at ikke bare den dramatiske teknikk, men selve måten å angripe problemene på er en annen enn Ibsens, ja, nesten den motsatte. Mens Ibsen almengjør og almengjør og atter almengjør, inntil han, hvor han når sin ytterste grense og uhellet er efter ham, kan komme i skade for å si dypsindige alminneligheter, tankefulle banaliteter for evigheten, så konsentrerer Heiberg seg om tid og sted og virkelighetsnære fakta. Vi vet at dikteren hadde Aasta Hansteen i tankene da han skrev «Tante Ulrikke»; og mange år efter følte ingen seg støtt over at fru Dybwad la sin fremstilling av rollen nær opp til modellen. Vi vet at det var Gunnar Heibergs forbitrelse over Bjørnsons slagord om å «være i sannhet» som ga støtet til «Kong Midas». Vi vet at «Folkerådet», «Jeg vil verge mitt land» og «Paradesengen» er lagt nær opp til virkelige hendelser, eller minnet folk om virkelige hendelser på en slik måte at de alle ga anledning til bitter strid og dydig forargelse da de utkom.

Vi kan gå ut fra at dikteren har hatt sine gode grunner, når han har lagt sine komedier så nær opp til kjent tid og sted. Han har i all sin diktning og i all sin ferd vært en ubarmhjertig forfølger av hykleri, feighet og selvbedrag, hvor han enn støtte på disse borgerlige dyder, og han kjente det menneskelige selvbedrags vesen godt nok til å vite, at hvis han ga det den aller minste chanse, så ville den bli utnyttet. Fanden trenger iallfall lillefingeren for å kunne ta hele hånden; men den drevne selvbedrager kan forvandle en flis av fandens lillefingernegl til en splint av Jesu kors.

Gunnar Heiberg skrev sine satirer fordi det var bestemte ting han ville til livs. Han ville ikke misforstås, forsåvidt som dette kan unngåes i en verden hvor det åndelige samkvem består i utveksling av misforståelser. Derfor ga han sine angrep en slik form og la dem så nær opp til en kjent virkelighet at de ikke kunne bortforklares, ikke i første

62

omgang iallfall. Derfor vakte hvert av disse skuespillene et ramaskrik, som best av alt viste oss at de hadde rammet. Derfor forsøkte man iherdig å bortforklare *forfatteren*, idet man var forhindret fra å bortforklare hans verk. Man erklærte ham for *negativ;* og hva det er, er det ingen som vet; men noe forferdelig er det. Man identifiserte ham med de personer han hånte, og kunne da med rette forarge seg over ham. Og i aller ytterste nødsfall erklærte man med Nils Vogt, at det var rått å avsløre så megen råskap. «Man orker ikke å være vidne. Så går man sin vei med et «fy» på leben.»

Det kan ikke forbause oss, om Gunnar Heiberg gang på gang måtte oppleve at hans stykker ble nektet oppført av det teater hvor de rettelig hørte hjemme, og at de vakte slagsmål og opptøyer da de omsider ble oppført.

Noe positivt ønske om å gå hurtig i glemme var neppe med blant de motiver som drev Heiberg til å gi sine komedier et så aktuelt preg. Vi kan gå ut fra at han har næret den forvissning – som ikke er uten stolt selvfølelse – at hvis satiren traff sitt mål i blinken *da* og *der*, så skulle det nok vise seg at den beholdt sin treffsikkerhet også andre steder og til andre tider.

I hvilken grad dette vil holde stikk, kan bare tiden og verden vise. Som en rent personlig mening må det være meg tillatt å uttale, at stykker som «Kong Midas», «Folkerådet» og «Jeg vil verge mitt land» forekommer meg truende aktuelle den dag i dag.

For et par år siden ble det gjort en prøve med «Folkerådet» på Nationaltheatret, og den falt ikke ubetinget heldig ut. Men feilen var åpenbar, og *den* var forsåvidt forfatterens egen. Han hadde latt seg forlede av en ond demon eller en hemmelig fiende til å internasjonalisere stykket – utenfra – ved hjelp av søyler og togaer. Faktum er imidlertid at «Folkerådet» er det mest kavnorske av alle Gunnar Heibergs stykker. Nå, da det har mistet sin opprinnelige aktuelle brodd, har det vunnet en tidløs norsk aktualitet, alltid gyldig som et norsk folkeeventyr. Og som et norsk folkeeventyr skulle det ha vært spilt.

To skuespill står for seg selv i Gunnar Heibergs produksjon. Det er «Balkonen» og «Kjærlighetens tragedie». For ingen andre av sine styk-

63

ker har han høstet så mange lovord som for disse. De er skrevet på et tidspunkt da han hadde levert så mange og avgjørende beviser på egenverdi og selvstendighet, at han ikke lenger sto i skyggen av noen. Om dette faktum har hatt noen betydning er ikke godt å vite – men «Balkonen» og «Kjærlighetens tragedie» er i form og teknikk lagt nærmere opp til Ibsens dramaer enn Heibergs tidligere skuespill. De behandler det mest almenmenneskelige av alt dikterisk stoff, det erotiske forhold og kjærlighetsforholdet mellom mann og kvinne, og de behandler det på en måte som fremhever det typiske, det tidløse og almene. De er fullkomne i sin oppbygning som et stykke av gamlemesteren selv. Og replikkene er stålskarpe, polerte, smidige som klinger, slik som bare Ibsen og Heiberg har kunnet lage dem. De svinger i sin stemning fra patos til ironi; men det patetiske er sterkt understreket. For som så mange skarptungede ironikere – som Ibsen for eksempel – er Heiberg skjult sentimental innerst inne, og som Ibsen er han i all stillhet en elsker av det patetiske. Svermeri og skepsis, romantikk og ironi, patos og bitende hån var alltid tvillinger i åndens verden.

Om «Balkonen» og «Kjærlighetens tragedie» er å si at de visselig fortjener alle de lovord som er blitt dem til del. De er mesterverker på sitt vis. Ibsen kunne ha skrevet dem, hvis han hadde visst litt mere om erotikk enn hans eftertanke ga ham anledning til. Men det må være en menig mann tillatt å si at han setter andre av Gunnar Heibergs skuespill høyere.

Nå har Ibsens navn vært nevnt så ofte i denne artikkelen, at det kan være like godt å forme spørsmålet: Vil Gunnar Heiberg som dramatiker leve like lenge som Ibsen?

Spørsmålet vil forekomme de fleste formastelig. For Henrik Ibsen fyller 100 år om få måneder, og Gunnar Heiberg er bare 70.

Allikevel – mon det ikke er mere enn én som må tilstå at av alle forestillinger som Nationaltheatret har gitt i de siste 10–15 år, er det en som er uforglemmelig frem for alle: «Gerts have». Og dette stykket regnes enda for et av Heibergs mindre betydelige, det hadde ligget og ventet i tyve år før det ble spilt.

Når man har lest hele rekken av Ibsens manndomsdramaer, kan

man få følelsen av at Norge er et land med bare to årstider, senhøst og vinter. «Gerts have», det er sommer. Ved første øyekast er stykket intet uten dette ene – sommer – en grotte av sommer, det er som om Heiberg har satt sin lykte mot og opplyst en liten rund flekk av et sommerlandskap, og han holder lyset der, og vi ser hva som foregår et par timers tid på dette tilfeldige stedet. Og vi oppdager, når de to timene er gått, at det er selve sommeren vi har sett. Ja, vi får den illusjon, den rikeste som diktning kan gi, at vi har sett selve livet åpne seg for oss på en ny, en hemmelighetsfullt rikere og heftigere måte enn vi kjente før, vi får illusjonen om at vi *vet* mere om livet, om kjærligheten og kvinnen enn vi visste for to timer siden. Og samtidig synes vi at alt det vi nettopp har sett og hørt, det har vi i grunnen visst bestandig. Så går vi ut og glemmer det igjen, selvfølgelig. For det er hvert menneske beskåret bare å forstå det ham givne mål av alt og alle. Men det er dikteren givet å hente ord, tanker og bilder ut av alt det usagtes og utenktes urtåke, og konsentrere det, utkrystallisere det, forme, slipe og polere det, inntil det blir så klart og blankt og enkelt, at enhver som ser og hører det, må si til seg selv: Nettopp det der kunne jeg selv ha tenkt og sagt.

Men det fins bare én Kolumbus med egget, for å låne et uttrykk fra den berømte essayist og journalist, alle norske kritikeres og artikkelskribenters mønster og læremester: Gunnar Heiberg.

Nils Kjær

(1924)

Nils Kjær kunne ikke like maur. Han var ellers en uselvisk venn av alt i naturen, han kunne glede seg over solen til og med når den svidde kålen, og fryde seg over regnet selv om det fylte båten, og med sinnsro kunne han iaktta hvordan den ene spiselige medskapning fortæret den annen midt i hans egen hummerteine. Men mauren vakte hans mishag, og han søkte gjerne et påskudd til å overøse det lille rastløse eddiksure dyret med sin mest utsøkte galde.

Med dårlig skjult skadefryd iakttok han den når den en enkelt gang forvillet seg inn på et felt uten barnåler. «Den render hid og did og ser ingensomhelst opgave at kaste sin flid på.» «Den er en hader af livets ledige øieblikke. Den er et dyr uden natursans og vimser omkring som et bytte for rastløs kjedsomhed.»

Dette var et enkelt eksemplar av arten. Men dommen faller ikke mildere over hele det travle folk:

«Den aktivitet, de små krakilske dyr udfolder, har aldri forekommet mig eftertragtelsesværdig for mennesker. De render om hverandre, men hvad render de egentlig efter?»

«Den mest irriterende eiendommelighed ved dem er deres uimodsigelige skikkelighed. De skyr de berusende blomster. De tygger trøsket træ og slås som modige maur indbyrdes i snusbrun demokratisk ufordragelighed.»

Deres energi er formålsløs og nærsynt, ja fullstendig stærblind. For bare å ta et eksempel – hva hendte ikke med den flokk maur som fant en tordivel mellom hjulsporene midt i veien? Alle gjorde sitt beste, de hang i av alle livsens krefter, og tilslutt hadde de fått den avdøde helt bort til kanten av hjulsporet. Hva nå? I svingen kommer en hest og vogn. Forfatteren sitter på sin stabbesten i spent forventning. Vil det berømte instinkt varsle dem? Nei. Med rasende flid velter de seg sammen med kadaveret ned i hjulsporet. «Det var i sidste øieblik. De kom såvidt tidsnok til at bli knust.» Her kunne maurens motstander triumfere. Men han gjør det ikke. Han er en rettferdig dommer, og det er ham nok at han har stillet et problem opp for dem som stadig vil trekke ham hen til mauren for å gjøre ham vis. «Jeg finder mig som menneske bedst hjemme i den ryddige forestilling, at myrerne blev overkjørt, fordi de befandt sig i hjulsporet på et for dem uheldig tidspunkt – uanseet deres vita, uanseet deres mulige feil og fortjenester og uanseet de gavnlige lærdomme, som med velberåd sludderhu kan uddrages af deres endeligt.»

*

«Det er akkurat det samme om fanden er til eller ei; men tænk på hvad han repræsenterer!»

Denne setning, formet av Nils Kjær i en annen forbindelse, kan godt anvendes på hans krigerske forhold til mauren. De brune småborgere lider ikke all denne overlast for det lille onde de gjør, men for det meget større de står for. Bak den spøkefulle irritasjon skjuler det seg en livsvurdering som har gitt seg mange og mangfoldige uttrykk i Nils Kjærs produksjon.

Livet er en drøm, som de aller færreste gir seg tid til å drømme. Menneskene bekymrer seg om mange ting, hvorav ingen er fornødne. Uvesentligheter fyller deres dager, trivielle sorger stjeler deres ro. Den blinde travelhet, den traurige strevsomhet, de hundre plikter presser duften ut av tilværelsen. Det stundesløse fremskrittsdelirium berøver mennesket all tid til eftertanke. Det blir en slave av sine egne frembringelser, bundet av dem i sin tenkning og følelse og i sin moral.

Man kan neppe slå opp en side i Nils Kjærs skrifter hvor ikke denne vurderingsmåten gir seg uttrykk. De efterfølgende sitater er valgt fra artikler skrevet med mange års mellomrom.

Et taterfølge på Østbanestasjonen gir ham anledning til en vurdering av de fastboendes moral:

«Den agtværdighedens moral, hvis opråb er: – Det er for galt! opstår ved sammenstød af de vandrende mennesker og de fastsiddende. Agerdyrkerne og nomaderne, landbyggerne og landstrygerne er fiender gjennem naturens tilskikkelser. Det fastsiddende menneske føler sig som den høiere typus, men han har ikke kunnet fæste sig uden at binde sig, uden at finde sig i tvang, uden at opgive friheden. Stat er ufrihed. Love er ufrihed. Eiendom er ufrihed. Men under den vildledede egoisme, som har skabt sig et ideal i besiddelse og en glæde i arbeide, slumrer lysternes dunkle mangfoldighed, drømmer de vigende himmelrande, lokker uendeligheden af livsens muligheder. Og når det fasttrollede menneske engang møder dette bestandig lystsøgende, ustadig lystfølende, dette frie og frække i det nomadiske liv eller den evig nomadiske kunst, så strækker han sin higen efter det og knytter sine næver efter det og siger: Det er for galt! Det er for galt, at nogen gjør det, som jeg har lyst på!

Dette er agtværdighedens moral.»

Og dette var gresshoppen, som sang en vise for mauren.

I den berømte epistel om hummeren, skrevet mange år senere, støter vi på følgende betraktning, med utgangspunkt i hummerens panser:

«Den menneskelige teknik følger trofast alle vink og anvisninger fra de udviklingstrin, den kalder tilbagelagte. Til luftskibet, propelleren, ridderrustningen og det moderne panserfartøi svarer som uopnåelige idealer fuglevingen, fiskehalen og hummerskelettet. Kanske derfor alle fremskridt i teknik betyder tilbagegang i menneskelighed.»

Han finner tid til en lignende refleksjon på en jernbanereise over den tyske slette:

«Det er omveiene og forsinkelserne og sidesporene, som beriger ens liv. Dets få og flygtige glæder findes i alle linier mellem ens udgangspunkt og ens mål – i alle undtagen den rette, som kaldes den korteste afstand, og som alle handelsreisende følger. De eneste frie mennesker i enhver tid er de, som har befriet sig for tidsånden. Den mand som i dette århundrede agter at leve sit liv uden at ty til telefon, er på veien til uafhængighed, og formodentlig vil en sådan mand også være på veien til en selvstændig verdensopfatning. Farten fordummer os. Raser vi med lyntog over en slette, som hviler under solen med et uendelig hvidt bånd af en landevei strukket mod det fjerne, og ser vi en bondevogn med oxespand i mægtig langsomhed skure i veiens grus for at nå landsbyen engang efter mørkefald, da burde vi misunde oxerne deres rolige fornuft og vride vore hænder efter tabte paradiser. Slettens korn, det modnes lige langsomt i *dette* tyvende århundrede som i det tyvende århundrede før Kristus, men vi mennesker er faldt ud af takten med det groende og egentlige.»

Det *egentlige* er alltid det samme, alltid i mektig ro uforanderlig; og larmen av fremskrittsvognen kan bare tjene til å overdøve den sakte stemme fra dette evige og vesentlige:

«Lærde og berømte mænd, de sysler med sit, de lever indhegnede af kulturer, de kiger gjennem sine glas og gjør vidunderlige opdagelser, som kommer os alle tilgode. De får to baciller til at gro, hvor der før bare har grodd en, og verden studser. De gjør fremskridt, bestandig nye fremskridt − og livet er det samme. De beseirer sygdom efter sygdom − og døden, den gjør sin dont.»

Nå kan man visselig si at disse uttalelsene virker mere charmerende ved sin form enn oppsiktsvekkende ved sitt innhold. De rommer ikke nye eller overraskende tanker. Tvertimot, de gir uttrykk for en følemåte og en smak som er meget naturlig for estetikere og meget gjengs både blant kunstnere og andre mennesker, og som man ofte kan finne uttrykt, om enn sjelden så godt som av Nils Kjær. I og for seg er det ingen grunn til å bli forskrekket over slike utbrudd. Der har såvidt vites aldri eksistert noen tingenes tilstand som vakte estetikeres og filosofers udelte bifall mens den varte. De fleste ting her i verden blir vakrere på avstand. Fjerne steder og tider viser seg for øyet og tanken uten detaljer, i store linjer av en skjønnhet som det altfor nære må savne. Veklagene over tiden og dens feil er dessuten kommet i miskreditt, fordi de altfor ofte utstøtes av folk som med forbløffende dyktighet forstår å finne seg til rette i den tid de tar avstand fra. De misbilliger sterkt den overhåndtagende teknikk, men forsmår ikke å bruke rotasjonspressen til sin egen lille reklame; de beklager seg over tidsånden, som med iltogsfart fjerner seg fra idealtilstanden, men tar alltid hurtigtog når de selv skal reise. Hvordan var det forresten – var det ikke fra kupévinduet Nils Kjær så oksevognen? Altfor tungt skal man ikke ta alle detaljer. En god stilist mestrer også overdrivelsens kunst. Det ville imidlertid være en total misforståelse om man oppfattet Nils Kjærs avstandtagen fra tidens gjerninger og vesen bare som løs og lett sjargong. Hans standpunkt er fullt konsekvent, dypt begrunnet i hans temperament og av inngripende betydning for hele arten av hans litterære virksomhet.

Nils Kjærs talent var mere kritisk-analytisk enn selvstendig skapende. Han reagerte sterkere og sikrere negativt enn positivt og hadde større anlegg for spott enn for begeistring. Når et slikt talent er forenet med en usedvanlig formsans, et øre som lider ved hver uren tone og en intelligens som irriteres over hver uklar tanke, så må man ikke fra den kant vente noen velvillig innstilling til alt det gjærende, uferdige og formløse i en nyskapende tid. Det nye, formløse og uferdige kan ofte eie dårlig skjulte komiske egenskaper og altså egne seg godt som skive for spott. Det kan være en fristende oppgave for en munter og vittig mann å salte tidens ferske begeistring med litt ubarmhjertig vidd.

Nils Kjær hadde vidd nok, og han motsto ikke fristelsen, noe ingen skal bebreide ham. Men viddet har konsekvenser; det er ingen spøk å være en vittig mann. Man forøker uvilkårlig avstanden mellom seg selv og det man håner. Hvis da det man har hånet, vokser og trives allikevel, så må det jo hånes enda mer. Det er ikke bare den fastboende som kan bli avhengig av sine egne frembringelser.

Blant det nye og påtrengende og fremadskridende i det tyvende århundredes Norge var også landsmålsbevegelsen. Og her kan vi kanskje finne hovedårsaken til Nils Kjærs reaksjon mot tiden. Det skulle være underlig om ikke den alvorlige kjernen i hans motvilje mot teknikk og «fremskridt», mot sosialisme og kulsviertroende videnskap og alt det seirende i tiden kan føres tilbake til hans intense uvilje mot landsmålet og alt som sto i sammenheng med det.

Nils Kjær dyrket sitt sprog. *Ordet* var ham hellig. Han røktet og renset og pleiet sitt sprog med kjærlighet og omhu, og skapte en stil som var personlig og allikevel almen, fast og utmeislet, men samtidig bøyelig og smidig, et ideelt uttrykksmiddel for tanken. Dette sproget var det han så truet av landsmålet. Og det var ikke landsmålets *diktere* som truet det – dem kunne han komme ut av det med, deres motiver kunne han anerkjenne – men det var politikerne. Han så sitt sprog gjort til gjenstand for kjøp og salg av folk som ikke brukte ordene til å uttrykke sine tanker, men til å skjule dem – som om *der* var noe å skjule.

Han så hvordan de krefter som arbeidet på *hans* sprogs side, tapte terreng for hver dag, og hvordan de andre, rastløse og ivrige som mauren, var på ferde over alt, gjorde fremskritt over alt, et skritt hist og et skritt her, og trakk pinner sammen til riksmålets likkiste. Dette var tiden og fremskrittet i tiden.

Han meldte seg ut:

«Nu er jeg ganske vist reaktionær. Jeg ønsker ingen plads på det leie af behagelige overbevisninger, hvor så mange gode liberale har levet godt og mange saligen hensovet. Deres behageligste overbevisning er den, at de selv som fremskridtets mænd altid får ret ifølge selve naturens orden; medens min personlige yderst ubehagelige overbevisning er den, at de, som får ret, sjelden eller aldrig har den eller fortjener at have den.»

Denne vurderingsmåten er det som danner sammenhengen i Nils Kjærs produksjon og gir den holdning.

*

Nils Kjærs skrifter egner seg for sitat. Ingen annen nordmann har eid en slik evne til å presse essensen av en tankerekke sammen i en eneste funklende, krystallklar dråpe. Det kan imidlertid ikke skjules at denne evnen avbalanseres av en tilsvarende svakhet. Skuespillene «Regnskabets dag» og «Mimosas hjemkomst» faller i erindringen fra hverandre i en rekke glimrende replikker. Og leser man dem om igjen, vil man undertiden oppdage en viss skjult travelhet i samtalen, når en glimrende replikk nærmer seg. Dens komme forberedes, man kan merke

71

den på avstand. En bølge av uro går gjennom det ventende selskap når hedersgjesten høres på trappene.

Også for en stor del av Nils Kjærs øvrige produksjon gjelder det at de glimrende detaljer huskes lenger enn helheten. Han var ingen tankens hærfører, ingen organisator og strateg. Han hadde hverken energi eller tålmodighet til å føre de store slag. Hans måte var geriljakampene, de små overraskelser, forstyrrelsen av motstandernes forbindelseslinjer bakover til logikken og den sunne fornuft. Den fastboende vil savne *stadighet* i denne virksomheten. Han ville finne at den flagrer altfor meget. Forfatteren må anerkjennes som en dyktig mann, men han sprer istedenfor å samle. Han utfører svenneprøver og små mesterstykker i en rekke av skribentens forskjellige fag; han kvalifiserer seg i ung alder som litteratur- og kulturhistoriker, han leverer siden små elegante prøver på tolkning av moderne litteratur, han skriver monografier og biografier, de beste i sitt slag. Men han samler seg ikke om bygningen av et enkelt hovedverk, der hele hans sinn kan bo.

Dette er ganske visst beklagelig, på samme vis som det er beklagelig at vi ikke lever i eventyrets verden, der skibene går både tillands og tilvanns, og Aladdin får et slott når han gnir på lampen.

I den verden der vi nå engang lever, der er det Nureddin som murer seg slott, og det er mauren som bygger tue. Vil man være en fri flakkende mann eller vil man det ikke? Store planer er oppløftende for tanken, men vil man gjennomføre dem, må man binde seg.

Er resultatet møyen verd? Det er atter en vurderingssak. Den ærgjerrige og forfengelige oppgir uten betenkning friheten. Og den mann hvis skapertrang er sterkere enn all selvkritikk, han har i det hele intet valg. Men den kritisk og skeptisk anlagte personlighet er alltid nødt til å vurdere og velge. Omverdenens iver virker komisk på ham, fordi et misforhold synes ham å bestå mellom strevet og formålet. «De render om hverandre, men hvad render de egentlig efter?» Hva tjener det hele til? «Denne målbevidsthet, den er ulykken. Resultaterne er jo altid betydningsløse. Hvor langt kommer man?» sier Pavels i «Mimosas hjemkomst».

Men en slik vurdering stopper ikke ærbødig opp foran ens eget jeg. De tilstedeværende er ikke unntatt. Ironikerens tanke er et våpen, og et våpen er til for å brukes. Han kan ikke stenge selvironien ute. Skeptikerens hele betraktningsmåte, som kan virke så salt og sunn overfor de manges planløse iver, den blir en ekstra hemning av hans egen virksomhet.

I sin lille avhandling om Don Quijote skriver Nils Kjær: «– et ansigt som er streifet af Don Quijotes skygge er i sit alvor uryggeligt. Det vil kunne lyse af en glød indenfra, men aldrig af det strålespil som speiler et sinds underfundige mistanker om, at verden også vilde bestå uden *den* vandrende ridder, som netop bryder en lanse –». Men for kampiveren kan det uryggelige alvor være gunstigere enn erkjennelsens rike strålespill.

*

Vinden som blåser i kast og støt inne i byens gater og undertiden ikke synes å ha annen oppgave enn å blåse hatten og verdigheten av alvorsmenn, får atter retning og dypt åndedrag ute på sletten. Nils Kjær, som spaltet sitt sinn i tusen glansfulle replikker inne blant menneskene, ble hel igjen ute i naturen. Sol og vind, regn og sne talte til ham, og han skjønte deres sprog. Sommerens sprog især. Sommerbrevene ute fra stranden og skjærene står for seg selv i hans produksjon. De er skrevet ut av et sinn fylt av samfølelse med gress og løv og strandens bølger. De rommer i sin stemning all den nordiske sommers duft og varme. De mangler ikke munterhet og heller ikke ondskap. Men spiddes et par ofre på pennen, så er det umulig å ha medlidenhet med dem i så godt vær. De får trøste seg med et stykke av Nils Kjærs egen sommerfilosofi:

«Mellem flade smutstene og runde nøkstene blinker et grønt flaskeskår. Det har ligget længe og skuret i sanden, kanterne er rundslebne og ufarlige for bare fødder. Naturen har taget det igjen. Naturen tager alt igjen. Det er den optimistiske refleksion, som befrier sig av ens soldøsende forestillinger. De flaskeskår, vi vandrer mellem, skal engang vorde glatte.»

73

Knut Hamsun

Til 70-årsdagen
(1929)

En erindring melder seg. Våren 1924 var vi – et par nordmenn – nede i Wien en tur. En gang traff det seg slik at vi var sammen med en gruppe tsjekkere og østerrikere en hel dag – det er forresten en annen historie, som Kipling sier. I denne gruppen fantes det en mann som var påfallende, til og med i en gruppe østerrikere, ved sitt kloke og tenksomme ansikt. Da vi ble presentert satte han et par store forbausede øyne på oss. «Nei! Er De fra Hamsuns land?» sa han og rystet forbløffet på hodet. Vi var ikke av dem som ville gi slipp på en slik fordel, og fastholdt, at det var vi. Men han bare så på oss, mens han fremdeles rystet melankolsk på hodet. Det viste seg, at for ham var Norge det underligste og merkeligste av alle land i verden, det var Knut Hamsuns og Edvard Munchs land. Han hørte til en type av menn som er omtrent ukjent i Norge – han var kulturfanatiker, han dyrket kunst som en religion. Som blottende ung student hadde han reist i kuvogn fra Prag til København for å se en utstilling av Edvard Munch. Hjemover måtte han vandre på sin fot, unntagen når han tok en liten jobb på en gård, så han fikk råd til å ta toget et par stasjoner. Hjemreisen tok ham tre uker. Turen – det vil si utstillingen i København – var den store begivenhet i hans liv; men han så frem til én enda større: En gang skulle han reise til Norge og med egne øyne se de stedene og møte de menneskene som Hamsun hadde skildret. Nei! Var vi fra Hamsuns land! Han kunne ikke tro det. At han rystet på hodet var forøvrig ikke noe uttrykk for tvil, det oppdaget vi efterhvert. Han hadde vært tre år i krigen, og andre året fikk han et lite granatsjokk, ikke verre enn at han ble sendt til fronten igjen, men såpass at han hadde fått et varig minne.

Var det et granatsjokk, forresten? Vi kom mer og mer i tvil om det. Gang på gang i dagens løp kom han bort til oss og ville vite et eller annet som hadde med Hamsun å gjøre. Men svarene våre tilfredsstilte ham ikke, han rystet mistrøstig på hodet. Og eftersom dagen gikk, og det ble mere og mere klart at vi var noen ganske alminnelige mennesker, som hakket og stammet i sproget og ikke hadde noe merkelig på hjerte, kom han sjeldnere og sjeldnere bort til oss. Men kastet vi en eller annen gang blikket i retning av ham, satt han og så bedrøvet og hoderystende på oss. Vi var blitt ham en skuffelse.

Jeg har ikke sett ham siden. Kanskje bestemte han seg den aftenen for å oppgi reisen til Norge og heller beholde en illusjon.*)

På de kantene av verden var en mann som den her nevnte ingen særling, han var en blant tusener. Ei heller finnes han bare i Mellom-Europa. I England og Amerika ble «Markens Grøde» møtt med beundring, og det var hva man måtte vente; men da «Sult» og «Pan» kom ut, stanset det ikke med bare beundring og ærbødighet; uskyldige og rørende ting hendte, amerikanske studenter reiste i grupper med toget til nærmeste skog, der spredte de seg over terrenget med hver sitt ullteppe under armen, for å tenne seg en nying og høre grankongler falle til jorden i jernnettene.

For noen år siden var det en revolusjonær russer i Oslo, en meget erfaren og kultivert mann (han hadde vært dømt til døden fem ganger og endte sine dager som sinnssyk). Han næret den faste tro at revolusjonen hadde forvandlet Russland i bunn og grunn og en gang for alle. Det hendte at han ikke fant ubetinget tilslutning til denne troen, som var ham selv så innlysende, og han måtte se seg om efter argumenter. Han fant mange, og til slutt det avgjørende. «Hamsun leses ikke mer!» sa han. Selv satte han Hamsun høyt, en av verdens største diktere, han hadde som ung student sittet oppe netter igjennom og lest ham, og efterpå hatt lange lidenskapelige russiske nattesamtaler om ham. Ikke desto mindre ble det ham i diskusjonens løp et stadig mere verdifullt faktum, at Hamsun ikke ble lest mer i Russland. Og hvorfor? Jo.

*) Tilføyelse 1955: Nå er han vel død forlengst, i ett eller annet gasskammer. For han var jo jøde.

Hamsun var en gammeldags romantiker, han skrev om liv i naturen, om kvinner, kjærlighet, troskap og utroskap, erotisk lidenskap, bare før-revolusjonære ting alt sammen. Ferdig med ham! Nå, åtte år efter, skriver madame Kollontay i festskriftet til Hamsun om hans plass i den moderne russers bevissthet. I disse åtte årene er meget støv sunket til jorden og meget vann rent i havet – i følge tyngdeloven, som har vist seg å gjelde fremdeles, også i Russland – og Hamsun er rykket i forgrunnen igjen. De unge i Russland leser ham, ifølge madame Kollontay, på sett og vis av nye grunner, de finner mere av den nye tids energi og vilje hos Hamsun enn hos de store russiske dikterne. La det være med grunnene som det vil; men de leser ham.

I land så fjerne at vi vanskelig kan forestille oss dem, i Japan og India, sitter gule og brune mennesker og leser Knut Hamsun. Gud vet hva de tenker seg ved løytnant Glahn og Edvarda og Johan Nagel, ved Benoni og Grindhusen – men de leser da om dem, og de må vel ha sin glede av det, for det er ingen som tvinger dem.

*

Året 1890 regnes som et vendepunktets år i den norske litteratur – og ikke bare her, forresten; men la oss foreløbig holde oss til det hjemlige.

Det var ingen av de store gamle som døde det året, de levet og skrev, og skrev som før, manende, truende og trøstende, til glede og hodebrudd for mange. De aller største problemer var riktignok løst på den lykkeligste måte eller iallfall utdebattert, men det var ennå noen igjen som kunne gi stoff til dramaer og eftertanke. Og mens dikterne selv begynte å gå trett av problemene, så det ut til at publikum i følge naturens orden nå først for alvor var kommet i ånde og ville ha mere, mere. Diktningen hvirvlet diskusjoner opp, problemer hadde alle litt forstand på, eller mente iallfall å ha det, og kunne dure i vei: «Det problem som dikteren her har reist . . .» Og i diskusjonens hvirvel forsvant selve diktningen som en flue i en støvsky.

Så er det altså at en sverm av unge talenter bryter frem, større og mindre, innbyrdes vidt forskjellige, men med det til felles, at de fulgte

76

nye veier. Stort sett førte disse veiene vekk fra jus og logikk og prosedyre, tilbake til poesien, diktningen, drømmen.

Her hjemme var Hamsun den største av disse unge. Ja, i dag er det fristende å si at han var den største tvers over alle landegrenser.

*

For ens egen innerste vurdering av en diktning bør selvfølgelig den større eller mindre berømmelse være en uvedkommende ting. Om en bok angår meg eller ikke, det kan ingen annen avgjøre, aller minst kan det avgjøres ved en flertallsbeslutning. Men hvis man vil gjøre seg det forstandsmessig klart, hva det er ved en diktning som gir den verdi for én selv, så kan det nok hende at man kan få litt hjelp ved å se seg rundt og merke seg hvordan denne diktningen virker på andre.

Når en dikter virker på mennesker over hele kloden, så kan vi gjette at det ikke bare kommer av ting han forteller om, men også av ting han *ikke* forteller om.

Vi kan blant annet gå ut fra, at han – i første omgang iallfall – må være lett tilgjengelig. Han stiller neppe uoverkommelige fordringer til lesernes intelligens. Han kan godt tenkes å være dypsindig, kanskje mangetydig for dem som forstår å trenge dypt nok inn; men i sitt ytterste lag må han være enkel og klar. Han kan godt tenkes å ha skrevet for en bestemt nasjon; men de problemene han behandler, kan neppe være nasjonale i snever forstand, de må være av almen menneskelig interesse. Nå finnes det intet enkelt enten-eller her. Det forholder seg, som enhver vet eller burde vite, ikke slik at en dikter kan kjøpe seg til berømmelse ved å oppgi sin personlige eller nasjonale egenart. Hvis vi ser på de dikterverker som har oppnådd utbredelse verden over, så vil vi der treffe bøker av alle rangklasser. Noen oppnår utbredelsen – slik ser det iallfall ut – rett og slett i kraft av sin komplette verdiløshet, sin fullstendige mangel på intimitet. Ved ikke å ha personlig betydning for noen oppnår de å nå frem til alle. På den annen side er det klart, at jo dypere, jo mere inntrengende en bok skildrer et enkelt menneske eller en liten menneskegruppe, desto tyngre og vanskeligere blir den på sett og vis; og jo større rikdom av tanke og følelse den inneholder, desto høyere kunstneriske egenskaper må den ha for å kunne trenge frem til de mange.

I grunnen er vel Knut Hamsun en av de siste som med en viss rett kan si om seg selv at han skriver for *alle*, i betydningen: for høy og lav, fattig og rik, bonde og bymann, arbeider og arbeidsgiver.

Hans egenart som person og skribent har stilt ham i denne særstillingen. Hans eventyrlige liv har virkelig bragt ham utenfor rangklassene, på sine tokter og vandringer har han efterhånden tilhørt alle klasser, han vedstår seg dem alle og er ikke blitt oppslukt av noen.

Om hans diktning gjelder noe lignende. Til å begynne med er den så samfunnsløs som en diktning kan være. Helten i «Sult» er en *outcast*, en mann som er satt utenfor alle stender og klasser, utenfor selve samfunnet. Johan Nagel i «Mysterier» er «en Tilværelsens Udlænding, Guds fixe Idé» – Løytnant Glahn i «Pan» er en villmann og jeger midt i en sivilisert bygd, en mann på tvers av alle samfunnsformer. Johannes i «Victoria» er dikter. Og hovedpersonen i «Under Høststjærnen» og «En Vandrer spiller med Sordin» er en flakker og vandrer som Hamsun selv hadde vært det inntil den tid.

Siden er dette blitt anderledes, som enhver vet. Dikteren er blitt bofast, og hans bøker er blitt samfunnsskildringer. Og – som likeledes enhver vet – disse romanene er ikke uten tendens. Dikteren har en rekke meninger om sosiale og åndelige spørsmål. Disse meningene er av den art at det er skikk og bruk å kalle dem reaksjonære. Men de har aldri kunnet hindre arbeidere og folk på venstre side i samfunnet fra å lese og sette pris på bøkene. Hvordan kan det henge sammen?

For det første må vi huske på, at i striden mellom de konservative og radikale er panikken alltid på de konservatives side. Det ligger i sakens natur, at en radikaler vel kan bli både ergerlig og sint over et konservativt resonnement, men aldri skrekkslagen. Følgelig vil en konservativ tendens i en bok regelmessig bli møtt med relativ sinnsro, en radikal tendens derimot like regelmessig med forargelse.

Men dernest må det innrømmes, og her kommer vi – ja, unnskyld – til baksiden av Hamsuns talent, at noen sentral personlighet i nasjonens åndsliv, slik som Bjørnson og Ibsen var det, det er han ikke blitt.

Leser man hans første bøker og artikler, så slår det en at han kunne blitt det også. Men han valgte en annen kurs for en lang rekke år. Han valgte å være dikter, ene og alene dikter. Og som dikter gikk han romantikerens sti, langt fra allfarvei. Hvor det brente som sterkest i årene fremover, hvor kampen sto heftigst om det som kalles «tidens tanker», der var han sjelden med. Men derav følger at hans polemiske kampevne ikke ble utviklet. I hans senere bøker kan vi finne nok av meninger, ofte polemisk tilspisset, men sjelden så farlig utformet at motstanderne blir bragt ut av balanse.

Han har erklært seg for reaksjonær, og tidens radikale personer og partier har lest ham med stor fornøyelse. Han har preket krig mot industrialismen – og industriens menn har lest ham og satt ham på hedersplassen i sin bokhylle. Han har oppløftet ropet «Tilbake til jorden» (i «Markens Grøde») og bondelaget har funnet det opportunt å synge bokens pris. Men «Markens Grøde» handler jo om en mann som går opp i ville marken og *tar* den jorden han vil dyrke. Hva sier bondelaget til det? Sett om arealet hadde tilhørt et av lagets medlemmer? Veien ville vel ikke blitt så lang til lensmannen, eller hva mener lagets formann om den sak? Bør det ikke være en viss respekt for eiendomsretten, en viss grense for lovløsheten?

Sammenhengen er vel den, at Hamsuns lesere stort sett har oppfattet tendensen, *programmet* i hans bøker, som en mindre vesentlig ting, en ringe ting sammenlignet med bøkenes rent dikteriske verdier. Og har ikke hans lesere i så fall latt seg lede av et riktig instinkt? Dikteren, den *store* dikteren først og fremst, har ekstra vanskeligheter å overvinne i tenkningens verden. Hjalmar Söderberg skriver om Strindberg:

«Strindbergs tanke, det är den typiska diktartanken, typisk i synnerhet i dess svagheter – halvt rovfågel och halvt kvinna, ständigt spanande efter byte för sin fantasi och själv i sin tur ett byte för alla «livets dolda strömmar», et barn av drifter och av drömmar och av flyktiga begär.

Men framför allt ett byte för den egna upplevelsen och ett barn av dess hundra tilfälligheter. Här är det blindskär, på vilket poeternas filosofi med tröttsam upprepning ständigt kör fast.»

At denne Söderbergs vurdering er riktig hva Strindberg angår, det er vel uten videre klart. Men – gjelder den ikke langt på vei til og med for en dikter som Ibsen? Den har i hvert fall en høy grad av gyldighet når det gjelder Hamsun.

*

Knut Hamsuns arbeider fyller efterhånden en ganske bra bokhylle. Det er godt og vel tredve bøker med smått og stort. Tredve bøker, tildels svære verker i flere bind. Det er ikke tenkelig, at en eftertid som har det travelt med sitt eget, skal få tid til å lese dem alle. Bøkenes antall og tykkelse må medføre at noen av dem faller vekk.

Hvor mange av dem vil leve?

Det er fristende å nytte leiligheten til et forsøk på å komme fremtiden i forkjøpet. La oss forsøke å gjette hvilke av Hamsuns bøker som vil trosse tiden. Kall det frekt. Det kan iallfall vanskelig bestrides, at vi er i god overensstemmelse med mesteren selv, om vi nå – med en tenkt fremtid som rettesnor – forsøker å kaste et freidig blikk på øyeblikkets alt overskyggende syttiåring.

*

Efter et løst og omtrentlig skipperskjønn skulle det ikke være så vanskelig å foreta en rangordning av Hamsuns verker.

Skipperskjønnet i litteraturen karakteriseres derved, at det orienterer seg, ikke efter bøkene selv, men efter tingene rundt *omkring* dem: Forfatterens borgerlige og litterære posisjon, hans alder, opplag, inntekter, formue – eller gjeld – hans hus og hjem, hans berømmelse, hans venner og venners venner, hans personlige myndighet og selvfølelse, hans innflytelse her og der –.

Ved femtiårsalderen omtrent gjennomgikk hele Hamsuns ytre stilling en vesentlig forandring til det bedre. Inntil da hadde han nok vært ganske anerkjent rent litterært; men noen stor leserkrets i moderne forstand hadde han ikke erobret seg, i hvert fall ikke i Norge. Han var gjenstand for en viss mytedannelse som en sentral bohemskikkelse, hans bøker sto delvis på indeks i pene hjem fordi de ikke var pene nok. Departementet nektet ham et statsstipendium som Forfatterforeningens sakkyndige utvalg hadde innstillet ham til.

Men på femtiårsdagen kom anerkjennelsen fra øst og fra vest og utnevnte Knut Hamsun til stor dikter. Fra Norge selv kom den kanskje litt tregere enn fra omverdenen. Vi må huske på, der *var* fire store diktere i Norge, det var en gammel bestemmelse, den sto i Grunnloven. Men omtrent på den tiden døde den siste av de fire store. Da ble det nokså ensomt, og stilltiende ble Hamsun satt på de fires plass, enda han ikke lignet noen av dem.

Fra nå av var Hamsuns nye bøker virkelige begivenheter langt utenfor de litterært interessertes lille leir. De ble gjenstand for spenning, forhåndsbestilling, diskusjon og begeistring, de ble solgt i titusener på titusener her i Norden og oversatt til tolv – femten – tyve fremmede sprog. Og det var som om bøkene kjente sitt ansvar, de ble tykkere, de ble to-binds bøker med stort persongalleri og livssyn.

Den berømteste av disse store romaner er «Markens Grøde». I denne dag er den sikkert Hamsuns mest leste og mest beundrede bok. Den gjorde sin forfatter til folkets dikter, den skaffet ham Nobelprisen i litteratur, den ble til og med oversatt til engelsk, og en av de allestedsnærværende impresarier i engelsk litteratur, H. G. Wells, hilste «den nye skandinaviske forfatter» velkommen i varme ord.

Hvis det dummeste en kritiker kan gjøre, er å bøye seg for mengdens dom, så er den nest dummeste å erklære denne dommen for uriktig på forhånd og en gang for alle. Den som alltid opptrer motsatt av de mange, gjør seg til mengdens ape.

Altså: Bortse såvidt mulig fra allting *omkring* bøkene. Er det da noe fellestrekk ved Hamsuns bøker fra de siste tyve årene, som tillater en tilnærmet felles vurdering av dem?

Til en viss grad er der det. Fra og med «Den sidste Glæde» til og med «Landstrykere» kan vi si, at *samfunnet* har meldt seg som aktiv bestanddel av Hamsuns diktning. En sosial sammenheng og utvikling blir påvist, et bestemt sosialt syn gjør seg gjeldende; tildels ofres der bred plass til rent aktuelt-politiske betraktninger.

81

Utgangspunktet for disse betraktningene er et romantisk-konservativt syn. Og det er et hell, når først galt skal være. All erfaring viser at radikale teorier foreldes overmåte meget fortere enn konservative. Det som er radikalt i dag, vil om femti år fortone seg enten som meget naivt eller som inntil det kjedsommelige banalt og selvfølgelig. Men det konservative livssyn, kjernen i det, er seg selv likt til alle tider. Der er ingen vesensforskjell mellom Hamsuns klager over tidens forderv og dårskap og Cato den eldres jammer over tidens forfengelighet og usseldom. Forskjellen beror på talentet, som sikkert er betydelig større hos Hamsun den yngre. Men selve uforanderligheten i synspunktet skulle synes å gjøre det unødvendig å ofre så megen plass på det hver gang – så meget mere som alle bra folk av skjels år og alder på forhånd er enige i det, mens de unge ikke kan forutsettes å lytte, idet de nå engang er unge «og skjønner ikke sitt eget beste» (Knut Hamsun i «Under Høststjærnen» der setningen riktignok er brukt ironisk).

Men hva vi skulle ha sagt: På marsjen mot fremtiden er det vel fare for, at alle disse gode synspunktene vil virke som en tung bør for Hamsuns senere romaner.

Der er en annen ting som er felles for disse romanene, fra «Den sidste Glæde» av og utover (med unntagelser som vi senere skal komme tilbake til). Der er mange mennesker i disse bøkene, et mylder av mennesker; men de er likesom så små. Ingen av dem er hovedpersoner. De har lite av *mysteriet* over seg, de er gjennomskuet med fabelaktig skarpblikk, men skildret med kjølig sinn. Dikteren ser tvers igjennom sine personer med én gang, men gjør ikke større vesen av det. Det er så enkelt. Og all denne usle gjennomsiktigheten berører ham visst ikke pinlig engang. Selv har han satt seg utenfor og betrakter det hele som det lille spill, den lille tidkort det er. Og noen varme kan man da ikke forlange ofret på slik en liten lek, slikt et sprellende dukketeater.

Nei vel. Men så øver vi gjengjeld. Vi fortrylles, vi interesseres og er spent så lenge forestillingen varer; det kan vi ikke hindre. Men vi røres ikke, vi henrives ikke, vi løftes ikke opp av vårt daglige grå liv og inn i en rikere og sterkere tilværelse. Vi beundrer prestasjonen og innrømmer at det er en glimrende prestasjon. Men vår beundring er kold.

Vi mennesker er fordringsfulle i all vår elendighet. Vi forlanger meget av våre diktere. Vi røres og gripes ikke medmindre vi gjenfinner oss selv forstørret og forsterket i dikterens speil. Vi forlanger å kjenne vårt sinn igjen som del av et større sinn, å se våre fattige sorger og gleder som del av rikere følelser. Vi vil ikke se vår tilværelse ytterligere forminsket, da blir den bare komisk, så vi blir lei av hele livet. For det er lite og leit nok før.

Menneskene sier, bevisst eller ubevisst, til sine store diktere: «Vi er lave og usle, og vi vet det, våre følelser er avstumpet og sløve, i vårt liv lar vi oss lede av smålige interesser. Men ditt sinn er større enn vårt. Sett det inn, vis oss det store som vi i all vår elendighet lengter efter, vis oss det vakre som vi drømmer om tross alt, eller hvis du vil vise oss det jammerlige og dårlige, så gi det dimensjoner og vis oss det i harme. For vel er vi små, men et sted i oss lever det en higen mot noe større. Gi den næring, gi den lys og varme. Men hvis du ikke gjør det, da dømmer vi ditt verk til døden. For uten varme kan intet liv bestå.»

Kanskje sier vi disse eller lignende ting, når vi har lest «Segelfoss By», og «Konerne ved Vandposten». Og kanskje gjør vi oss da skyldig i en avgjørende feiltagelse. For sett om disse verkene, som tilsynelatende er så kjølige og klare, innerst inne rommer en bunden varme like sterk som den åpenbare glød i selveste «Pan»? Sett om det viser seg, hvis vi ser nøyere efter, at den iskolde menneskeforakt i «Sidste Kapitel» indirekte er en brennende kjærlighetserklæring fra en mann som heller ikke i sin sene manndom er istand til å slå av på sin ungdoms steile fordringer? I så fall kan vi gjerne dømme disse bøkene til døden; for da lever de likevel gladelig videre over vår grav.

Men dette får det virkelig bli fremtidens sak å avgjøre.

*

Romanene fra «Den sidste Glæde» og videre utover inneholder, når man ser dem samlet, en veldig sum av menneskekunnskap, av oppsamlet erfaring, av livsvisdom. La meg ikke bli vis! bønnfalt dikteren en gang. Men gudene bønnhørte ham ikke. Han ble vis som selve Odin, vis som Hávamál.

Det er visdommens egentlige tragedie, at den er almengyldig, men kan ikke meddeles.

Hva de gamle angår, så har de enten selv ervervet seg visdom, gjennom lange år og megen møye; men da har de den allerede og trenger ingen meddelelse. Eller de har intet lært av all sin tid og møye; men da kan det ikke nytte med Moses og profetene, nei, ikke engang om noen oppsto fra de døde.

Og hva de unge angår, så har Hamsun selv uttalt seg derom (i foredraget «Ærer de Unge»). De gamles visdom kan ikke hjelpe de unge. De unge må lære på kroppen, i høyden kan de lære av sine jevnaldrende. Hver generasjon må gjøre sine egne erfaringer.

Så meget om visdommen.

Anderledes er det med de ting som nevnes lyster og lidenskaper. Alt det som i en sum kalles ungdommens uregjerlighet – dens stolhet og tross, dens naive tro og grandiose ufornuft, dens forakt og hat, dens kjærlighet, alle dens søte dårskaper – det er et stoff som kan meddeles.

Det har sin grunn, når generasjon efter generasjon av unge leser Knut Hamsun og dyrker ham som få diktere har vært dyrket. Det skyldes ikke berømmelsen, ikke anerkjennelsen fra dem som har ære og myndighet i dette og mange andre land. Det har den enkle grunn, at Hamsun i en rekke av sine bøker forteller om ungdom og taler til alt som heter ungdom på en fullstendig ny måte. Disse bøkene – «Sult», «Mysterier», «Pan», «Victoria», «Det vilde Kor», «Under Høststjærnen», «En Vandrer spiller med Sordin» – er skrevet i tiden mellom Hamsuns tredivte og femtiende år. Men som det pleier å gå med ekte dikterverker – de henvender seg sterkest til mennesker som er yngre av år enn dikteren var da han skrev.

Og så står vi foran den umulige oppgaven å skulle forklare, hvorfor disse bøkene virker så sterkt på den ene generasjon av ungdom efter den annen – og hvorfor det er vanskelig å tenke seg en ungdom som kan unndra seg deres trolldom.

Først dette: Der fins øyeblikk av forelskelse, av ydmykelse, av liden-

84

skap og smerte som ingen hadde trodd det var mulig å bevare i erindringen engang, enn si fremstille i ord. Plutselig var de der i disse Hamsuns bøker. Men til tross for at underet dermed var gjort og mønsteret forelå, har ingen vært i stand til å efterligne det inntil denne dag. Det ligger nær å slutte, at det da virkelig er trolldom vi her står overfor, eller om man vil, at kunsten skyldes iboende anlegg, som ikke nærmere kan forklares. Men hvordan nå dette er – *alt* hos en kunstner skyldes aldri medfødte anlegg. I zoologien snakker man om *anleggspreg* – medfødte egenskaper som man må regne med som et fast utgangspunkt – og *fremtoningspreg*, som oppstår av de medfødte anlegg pluss innvirkning av kår, av miljø, av samlede livsforhold.

Kyndige folk sier, at blomster og frukter får finere dufter og smak i Norden, hvor kjølig klima og lite sol sinker veksten, enn i tropene, hvor sol og varme driver allting frem på ingen tid. En av årsakene til at Hamsuns ungdomsbøker fikk sin særegne verdi, tør være å søke i det faktum, at de ble *utsatt*. Hamsuns vanskelige livsforhold i ungdomsårene, hans vandringer og trengselstider, hans hungerår, hans selvlærthet, som tvang ham til å slåss lenger og bitrere med den kunstneriske form enn skribenter ellers må gjøre – alle disse hindringene som ville ha knekket en mann med mindre kraft og talent, de tvang ham til utsettelse gang efter gang, alt imens stoffet samlet seg og samlet seg, stuet seg opp, gjæret og klarnet igjen. Og så en dag *kom* han – med «Sult», som sikkert har gjort sterkere inntrykk og øvet større rent psykisk innflytelse enn noen annen roman i norsk litteratur.

Om hovedpersonen i «Sult» – den unge mannen som dér er uten navn, men som vi siden møter igjen med små forandringer som Johan Nagel i «Mysterier», løytnant Glahn i «Pan», Johannes i «Victoria», vandreren i «Under Høststjærnen» og «En Vandrer spiller med Sordin» – om ham har det vært skrevet så meget av så mange, at det må ansees formålsløst å ta det opp igjen alt sammen.

Han er en romantiker, sier alle. Men av romantikere er det så mange slags.

Det er lykkes dr. John Landquist i sin bok om Knut Hamsun å fange inn en enkelt situasjon som viser hva slags romantiker Hamsuns helt er: Johan Nagel ligger en solskinnsdag i skogen og stirrer opp i himmelen. Mot altets velde og herlighet forekommer menneskenes usle tilværelse ham så liten og intetsigende, at han får lyst til å gjøre ende på den for sitt vedkommende. Vil han noensinne kunne gjøre alvor av det? Ja, ved Gud i himmelen! – Liggende der i skogen svinger han seg opp i den romantiske livsfølelses høyeste ekstase: «Han vugged allerede om paa Himlens Hav og fisked med Sølvangel og sang dertil. Og Baaden var af duftende Træ, og Aarene blinked som hvide Vinger; men Seilet det var af lyseblaat Silketøi og var klippet i en Halvmaane –.»

Til sammenligning gjengir Landquist et avsnitt fra en av Tiecks romaner. Bokens helt, Franz Sternbald, ligger i sin seng og ser på månen gjennom vinduet: «Han betraktade den med längtansfulla ögon, han diktade på dess glänsande skiva och i dess fläckar berg och skogar, underbara slott och förtrollade trädgårdar, fulla av sällsamma blommor och doftande träd; han tyckte sig se sjöar med skimrande svanor och glidande skepp, *en båt som bar honom och den älskade, och omkring retande sjöjungfrur, som blåste på musselskal och kastade vattenblommor in i farkosten. Ack! där! där uppe! ropade han, är kanske all längtans, alla önskningars hemort –.»*

Landquist tilføyer: «Sannerligen en typisk dröm av den näriga romantikern! Full av begär slår han under sig allt hans inbillning har att råda över: Kvinnor och slott och all slags grannlåt. Det är dylika romantiker som bli servila och uppskattade borgare. Hur flitigt skall ej Franz Sternbald med sina Tieckska pigga och sinnliga ögon sträva för att uppnå blott en procent av de härligheter han skådat i sin måndröm.

Högsinnad framträder mot denna typs trånad Nagels forakt för de önskeuppfyllelser världen kan bjuda och ädel hans förkastande och rolösa längtan. Franz Sternbald är den romantiska småborgaren. Johan Nagel är romantikern av kungablod.»

Johan Nagel er av den typen som ikke har hellet med seg. Det kommer blant annet av, *at han ikke kan bøye seg i motgang*. Dette trekk, som går igjen hos Hamsuns helt i bok efter bok, har nøye sammenheng med selve romantikkens innerste vesen. Romantikkens krav om heroisme, om tross mot livets usseldom, dens hån og spott over all lavborgerlig nyttefilosofi – det er alt av en og samme rot. Stå rank, gi ikke efter for hverdagskravene, *bøy deg ikke i motgang, gi deg ikke for overmakt* – dette er romantikkens store bud. Hvis vi begynner å undersøke den psykologiske bakgrunn for dette budet, så vil vi ganske visst gjøre den oppdagelse at romantikeren *har* gitt seg for overmakt; han er en mann på flukt – på flukt fra hverdagen og dens virkelighet. Av en eller annen grunn har virkeligheten vært for ram eller for ond for ham, han vender den ryggen og søker ly i forestillinger om andre tider og steder – fjerne egne, spennende eventyr, herlige utopier, barndommens land . .

Det er ungdommen som er romantisk. Den er det, fordi den er følsom og derved sårbar. Såret til døden av virkeligheten vender den seg til erindringen om barndommen, søker den trøst i drømmen; for så atter å vende om og trosse virkeligheten; for atter å såres. Langs denne fronten bølger en vesentlig del av alle tiders åndsliv.

De såkalte livsdyktige mennesker avfinner seg fort med virkeligheten, de slutter fort å drømme. Franz Sternbald er en livsdyktig romantiker.

Johan Nagel og hans brødre gir seg ikke. De ligner ikke den tyske fyrsten, som vi i sin tid leste om i våre lesebøker: «Kongens valgsprog var: En konge skal dø stående. 70 år gammel døde han sittende i sin stol.» Hamsuns helter *dør* virkelig stående. Og la i denne forbindelse en liten ting bli tilføyet. Et par avsnitt i begynnelsen av denne artikkelen kunne oppfattes som en hentydning om at Hamsuns idealer på menneskelig vis har forandret seg med årene. Det har de ganske visst gjort. Men *roten* er den samme. Der er ingen uoverensstemmelse mellom naturtilbedelsen i «Mysterier» og «Pan» og jorddyrkningens evangelium i «Markens Grøde». Begge forkynnelser henter sin kraft fra samme kilde, fra barndommens land, urkilden til all romantikk, opphavet til alle utopier. Men der er den forskjell som det naturnødvendig må være mellom barnets og den unges lengsel mot uendeligheten og den aldrende manns lengsel tilbake mot barndommen.

*

87

Den som er meget følsom, blir meget avhengig, og den som er meget avhengig, må få stunder av opprør, hvis han er et fribårent sinn. Følgelig vil hans følelser svinge mellom utpregede motsetninger, mellom kjærlighet og hat, stolthet og ydmykhet, tross og eftergivenhet, selvhevdelse og selvutslettelse. Disse sterke svingninger i følelsen er barns og forelskede (det vil si: overfølsomme) unge menneskers særkjenne. Disse svingninger er et særkjenne for Hamsuns helt og hovedperson fra han kom vandrende inn i litteraturen for førti år siden og inntil denne dag (for han forsvant ikke med «vandre»-bøkene, som vi snart skal se). Over alt hvor vi treffer ham, blir vi vidne til hans heftige og motstridende følelser overfor livet. Han reagerer overfor selve tilværelsen som en elsker overfor sin elskede. Og her må det være tillatt å slutte fra hovedpersonen tilbake til forfatteren: Forelskelse er den av alle sinnstilstander som er vanskeligst å huske. Dens henrykkelser og fortvilelser er for store, et alminnelig sinn har ikke plass til dem i erindringen, når kjærlighetens rus først er forbi. Anderledes med den mann som har et så intenst følelsesliv at han står i forsmådd eller begunstiget elskerforhold til selve livet. Jord, hav og himmel lukker seg til eller åpner sin skjønnhet for ham, dag og natt viser ham sin gunst eller sitt mishag. Han opplever til stadighet den lykkelige utvidelse av sinnet som er forelskelsens faste følgesvenn.

Kanskje dette kan bidra til å forklare, hvordan dikteren og naturtilbederen Hamsun gang på gang i sine ungdomsbøker kunne forme og skildre kjærligheten så man direkte opplever den.

Det ble sagt tidligere i denne artikkelen at Hamsuns senere romaner rommet et mylder av mennesker som alle virket små (det vil si, at dikteren bare hadde ofret en forholdsvis ringe medfølelse på hvert enkelt menneske).

Det blir nødvendig å gjøre en del nokså vesentlige unntagelser. Det gjelder de tre bøkene «Børn av Tiden», «Markens Grøde» og «Landstrykere».

La oss fremsette som en foreløbig påstand, at når en dikter skaper skikkelser ut av sitt eget indre, så har han to hovedveier han kan gå. Han kan velge det vi kunne kalle den positive oppriktighets vei, vedstå seg selv for sin samvittighet og all verden, skape skikkelsen så å si av sitt eget kjøtt og blod og slå et slag for den. Eller han kan velge den negative oppriktighet, gi sin diktede person egenskaper fra seg selv, men derpå styrke seg i dyden ved å hudflette ham.

En tredje metode bør også nevnes. Dikteren kan utforme en såkalt moralsk idealskikkelse, det vil si en skikkelse med egenskaper som dikteren selv *ikke* har, men som han avmektig beundrer. Hvor vanskelig denne oppgaven er, viser all verdens litteratur med tusener av eksempler. Slike idealskikkelser vil stå i fare for enten å bli livløse og kjedelige (som kong Håkon i Ibsens «Kongsemnerne») eller overfine og uekte (Paul Lange i Bjørnsons skuespill).

Hamsun har fremstilt slike idealskikkelser noen ganger. Blant annet i «Børn av Tiden» og «Markens Grøde».

I «Børn av Tiden» er det ikke lykkes efter planen. Hovedpersonen, løytnant Holmsen, er tillagt en rekke forutsetninger og egenskaper som Hamsuns hovedpersoner ellers ikke har. Han er rik, eller iallfall av rikt folk, en mann med overklassetradisjon. Han er av gammel slekt, fra et kulturmiljø, en mann med fin oppdragelse, høy anseelse, megen makt – en patrisier.

Det er bare den innvending å gjøre mot løytnant Holmsen, at hans opptreden ikke svarer til dikterens påstand. Han er oppfarende, truende, storsnutet, tyrannisk og grov overfor stedets embedsstand – som om han var en typisk parveny, en mann med langvarig undertrykkelse og gammel urett å hevne. Han legger an på å *vise seg*, som om han var en ny mann i sin stol. Hans barnslige slektsstolthet og like barnslige pirrelighet kan vanskelig oppfattes som noe tegn på gammel kultur, den er ikke altfor forskjellig fra sakfører Raschs febrilske selvhevdelse.

Men løytnanten møter ulykken, og boken vokser til et betydelig diktverk. For i ulykken viser løytnant Holmsen hvem han virkelig er. Slekten, tradisjonen, den gamle nedarvede patrisierkultur viser seg å være forholdsvis utvendige ting. Men *han bøyer seg ikke i motgang.*

Han var Hamsuns romantiske helt, bare i forkledning. I sin hjelpeløshet og forlatthet viste han sitt sanne ansikt.

I «Markens Grøde» lykkes idealiseringen. Isak på Sellanrå er blitt en monumental type, en jorddyrkningens inkarnasjon, en idealskikkelse som lensmann Geisler går og ser på i avmektig beundring. Men samtidig er Isak et levende menneske: han er svak og dum, klosset og ofte hjelpeløs, et barn i mange av denne verdens ting, kort sagt, han interesserer. Det er lykkes, det vanskeligste av alt: å skildre det ganske enkle menneske.

Det er lykkes, fordi – ja, noen virkelig forklaring skal ikke forsøkes: kunne den gis, så hadde det vel ikke vært så vanskelig. Men det kan sies, at det blant annet er lykkes, fordi dikterens hengivenhet for sin helt er like enkel og oppriktig som helten selv. Det er en gammel kjærlighet som ikke har rustet. Hamsuns lede ved alt tilgjort fint og oppblåst stort, hans avsky for kulturens snyltere og såkalte «store menn» (kommet til uttrykk allerede i «Mysterier» og «Ny Jord») og på den annen side hans glede over naturen og naturens enkle barn – alt dette har funnet en lykkelig form i den primitive patriark Isak. Det lar seg nok ikke nekte, «Markens Grøde», dette høyt priste arbeide, er et mesterverk, en arbeidets robinsonade, som det ikke kan nytte å komme med små innvendinger mot.

Den tredje unntagelse blant Hamsuns senere romaner, hans siste bok inntil i dag, «Landstrykere», inntar en merkelig plass i sin dikters produksjon. Den innvending som ble anført mot enkelte av Hamsuns romaner fra de senere år, at forfatteren likesom ikke gikk inn for sine personer, men satt som en kold gud i skyen og lo, den gjelder iallfall ikke for «Landstrykere». Et slikt veld av følelse, av munterhet, av ømhet, av fantastisk humor kommer her plutselig atter tilsyne, at man spør seg selv om ikke dette alt i alt er den rikeste av alle Hamsuns bøker. Så megen fantasi og detagelse vier dikteren hver enkelt av sine personer at de forsåvidt blir hovedpersoner alle sammen.

Ingen i denne boken er så ringe at ikke dikteren har et vennlig smil tilovers for ham. En sau har gått seg i berg hos Lovise Magrete Doppen; Edevart lar seg fire ned på berghyllen til sauen, løfter den og snur den

90

rundt: «Sauen syntes selv fortumlet ved dette og visste likesom ikke av sig – hadde den mon fått hodet i bakenden?»

Som alle Hamsuns senere bøker har «Landstrykere» sin skarpt uttalte moral. Men på forunderlig vis narrer dikteren undertiden moralisten. Han sier om piken Ragna: «Hun hadde merkelig pene Hænder fordi hun var et Drog og ikke gjorde stort med dem.»

Romanens moral går blant annet ut på, at nomadelivet er farlig og skadelig, det gjør oss rotløse og instinktløse, uærlige og utilfredse. Men mellom selve nomaden i boken, August, og dikteren består der en hemmelig og fint forgrenet sammensvergelse . . .

Så rik og strålende er denne romanen, at den kaster lys også bakover til de foregående bøker. Det ble sagt at de manglet hovedperson. Kanskje er ikke det så sikkert likevel. I «Den sidste Glæde» treffer vi fremdeles vandreren, riktignok som en mann på femti år, en skygge av seg selv (bokens første del, der han ennå er forholdsvis livsglad, er skrevet flere år tidligere enn resten av boken). I de følgende bøkene er vandreren forsvunnet – tilsynelatende. I virkeligheten ferdes han omkring i bokens umiddelbare nærhet, bøyer seg over den skrivende og kaster sin skygge inn over bøkenes sider.

Femtiårsalderen ble virkelig et avgjørende punkt, et vannskille i Hamsuns forfatterskap. Man maler ikke ustraffet fanden på veggen i år efter år. Så lenge hadde Hamsun fremstillet femtiårsalderen som tiden for en manns åndelige død, at han efterhånden selv kom inn i sin egen tenknings hjul. Ånd har ingen alder – det glemte han.

Ved selvsuggestion ble femtiårsalderen en virkelig krise. Og så ble da de senere bøkene delvis skrevet i skyggen av det spøkelset dikteren selv hadde manet frem. Romantikeren forsvant, han vek plassen for en realist som ikke hadde den fulle klang i røsten. Først med «Landstrykere» er hemningen helt overvunnet, her har ungdomsromantikk og rolig livsvisdom inngått en harmonisk forbindelse.

*

Her er gjort et lite forsøk på å karakterisere enkelte sider av Hamsuns diktning. En ting er ikke nevnt. Spør hundre forstandige mennesker, hva som er det merkeligste ved denne diktningen. Og de ni og nitti vil svare: stilen.

Her skal ikke avgjøres om det er den ene eller de ni og nitti som farer vill. Her skal bare denne artikkels forfatter benytte den forstand han har fått seg tildelt, til å nekte å gå inn på noen analyse av Hamsuns stil.

Visst er den fenomenal. Og visst er den så særpreget, at man med utsikt til hell skulle kunne vise hva en del av dens særpreg kommer av. Det lar seg gjøre å påvise grammatikalske eiendommeligheter. Det lar seg gjøre å påvise, at den har hentet sin næring fra Nordlandsdialekten, ja, til og med fra Gudbrandsdalen, som familien forlot da dikteren var tre år gammel. Det lar seg påvise impulser fra øst og fra vest, fra Dostojevski, Nietzsche, Mark Twain. Men med alt dette er vi nøyaktig like langt fra en virkelig forklaring av Hamsuns stil.

Problemet: en dikters stil, er i siste instans et psykologisk og moralsk problem. Stilen henger nøye sammen med dikterens selvtillit, med hans hederlighet, med hans øye og øre for andre, med hans evne og mot til å være seg selv, med hele hans karakter.

En dikter som bringer det sjeldneste av alt: *en ny tone,* må eie tilsvarende sjeldne egenskaper. Tro ikke at det er gjort med en viss sprogligmusikalsk evne. Han trenger selvfølelse i en dobbelt form, han må ha tillit til seg selv og ydmykhet overfor seg selv. Han må være sjelelig lydhør, så han fornemmer hva som hender – hva som virkelig hender, ikke bare det som er vedtatt å hende, det som alle gamle tider og alle gamle diktere sier skal hende. Overfor dette siste må han ha evnen til å gjøre seg døv som en stokk.

Den gode stil forutsetter en lykkelig blanding i skribentens sinn av mange motsatte egenskaper: tillit og mistillit, følsomhet og stridbarhet, selvopptatthet og våkne sanser utad, heftighet og tålmodighet; og først og sist forutsetter den arbeide.

Er alle disse egenskapene til stede i usedvanlig lykkelig grad, og inntreffer dertil det hell, at dikterens sinn på uforklarlig vis svinger i takt med tidens egen puls, så kan det mirakel hende, at han skaper den nye tonen – den tonen som kan gi tilsynelatende vidt forskjellige mennesker i vidt forskjellige miljøer og livsforhold en stor, felles opplevelse: at her fant stengte krefter i deres eget sinn en utløsning, ja, en forløsning.

Sigrid Undset

I.

Olav Audunssøn i Hestviken
(1925)

Allerede ved sine ytre kjennetegn, ved format, miljø og tidspunkt for handlingen, fremtrer Sigrid Undsets nye roman som en ektefødt bror av «Kristin Lavransdatter».

De to bøkers miljø er det samme, også den nye romanen foregår blant landadelen på Østlandet. Og tiden som skildres, er praktisk talt den samme. Handlingen i «Olav Audunssøn» foregår i slutten av det 13. århundre, altså omtrent en mannsalder tidligere enn hendelsene i «Kristin Lavransdatter».

Men helt påfallende blir likheten først, når vi sammenligner det dikteriske motiv i de to bøkene. Her ligner de hverandre nesten som høyre og venstre hånd; de omslutter begge det samme livsproblem, et problem som vi forøvrig møter gang på gang i Sigrid Undsets bøker – efterhvert mere og mere religiøst betonet. Motivet er det evig gamle, brukt utallige ganger tidligere av utallige diktere: de to unge som i elskovsrusen lar all fornuft fare og må bøte med renter i årene efterpå.

Bjørnson har oppsummert problemets aktiva og passiva i et lyrisk regnestykke:

> Hver glædesstund du fik på jord
> betales må med sorg.
> Om flere følges ad, så tro
> de gives kun på borg.
> Der kommer snart en smertenstid
> med suk for hvad du lo;
> den lægger rentes rente til
> med avdrag i din tro.

Mary Ann, Mary Ann,
du skulde ikke smilet du,
så gråt jeg ikke nu.

J.P. Jacobsen uttrykker det samme på en litt annen måte:

Det bødes der for i lange Aar,
som kun var en stakket Glæde.
Det smiler man frem i en flygtig Stund,
man bort kan i Aar ei græde.
Der rinder Sorg, rinder Harm af Roser røde.

Hos Sigrid Undset har dette motivet fått sin rikeste og klareste utform-
ning hittil i «Kristin Lavransdatter». Kristin og Erlend gir seg hen til
sin elskov, uten å tenke, uten å ta hensyn til sin egen ære og slektens
anseelse. De tar gleden på forskudd, og det meste av det onde som
siden rammer dem i livet, har på en eller annen måte sammenheng
med det som hendte den ene korte gledens og galskapens sommer nede
i Oslo. Handling følger handling i ubrutt rekke, der gis ingen unnta-
gelser fra årsakssammenhengen, og ondt kan bare avle ondt. Ti vokte
enhver vel på sine tanker, ord og gjerninger . . . .

Fortellingen om Kristin og Erlend, om den korte lykken de stjal, og
den lange smerten de måtte bøte med, er så overbevisende sann, så
menneskelig levende, at man uvilkårlig speider etter en forklaring, når
man ser at forfatterinnen i sin neste bok tar for seg nøyaktig det samme
motivet enda en gang. Det må ha foreligget ganske sterke grunner, når
hun har valgt å sette seg ut over den fare for gjentagelse, forringelse og
avslapning som dette innebærer.

Kanskje en setning i siste del av «Kristin Lavransdatter» kan gi for-
klaringen? Kristin ligger og skal dø, og hun gir bort sin bryllupsring, til
messe for en gammel kone:

«Og hendes taarer brast i en rik strøm, for det var som hun aldrig før
hadde skjønt det fuldelig, hvad den tydet. Det liv som den ringen
hadde viet hende til, som hun hadde klaget sig for, knurret under,

raset og trasset i – likevel hadde hun elsket det slik, frydet sig i det med det onde og det gode, slik at der var ikke en dag uten det tyktes hende tungt at gi den tilbake til Gud, ikke en smerte som hun kunde ofret uten savn.»

Ja, det er sant – tross alle de ulykker som i rad og rekke ramte Kristin Lavransdatter – på oss som leste om henne, virket hennes liv så overdådig rikt, så mettet med innhold, at beretningen ble det motsatte av en botspreken. Hennes skjebnesvangre ungdoms synd ble den nødvendige inngang til hennes tunge, sterke og rike liv. Var med andre ord denne første boken ikke skremmende nok?

Beretningen om Olav Audunssøn og Ingunn Steinfinnsdatter virker langt, langt mørkere og mere skremmende, til tross for at hendelsenes utgangspunkt og en stor del av handlingens forløp er det samme.

Det kommer av to ting. For det første er Ingunn i enhver henseende et spinklere, svakere, mindre livsdyktig menneske enn Kristin. Men for det annet er det i «Olav Audunssøn» en meget sterkere, mere ondartet konsekvens i handlingene. Ondt avler ondt i det uendelige. Svakhet fører til usannhet, usannhet til forbrytelse, forbrytelsen fører til straff og til all tenkelig ulykke . . . .

*

Olav Audunssøn og Ingunn var lovet til hverandre allerede som barn. Olavs far var en venn av Steinfinn, og Olav blir fostret på Steinfinns gård ved Mjøsen. Der vokser de to barn opp sammen, og erindringen om trolovelsen forbinder seg med leken og det stadige samvær til en dypt rotfestet overbevisning hos dem begge, at de skal høre sammen for alltid.

I et ypperlig kapitel viser Sigrid Undset, hvordan denne tanken får nytt innhold hos de to under en lang tur de tar til Hamar, en sommer da de er i 15–16-års alderen. Deres øyne opplates, og de ser at de er mann og kvinne.

Kort efter hender det en ting som på mer enn én måte blir bestemmende for dem. Noen år tidligere ble Steinfinn og hans hustru dødelig krenket av en gammel uvenn. Denne sommeren tar Steinfinn sin hevn, han dreper uvennen og brenner hans gård. Olav, så ung han er, får lov å være med på ferden. Han er også med i gildet efterpå, og i denne natts opphissede stemning hender det så at han går inn til Ingunn, som gir seg hen til ham. Hvis man skal snakke om skyld, hvem er da den skyldige? Olav var ikke edru, ellers hadde han kanskje ikke funnet på det – men han trengte visst ikke å be henne to ganger. De to har intet å la hverandre høre.

Men samme natt dør Steinfinns hustru, og selv er Steinfinn blitt dødsmerket i striden, en tid efter dør også han, og de to halvvoksne menneskene, som allerede har tatt på seg voksne menneskers skyld og byrde, blir stående temmelig alene i verden. Motgangen lar ikke lenge vente på seg. Da Olav gjør krav gjeldende om Ingunn, blir han hånlig avvist av hennes slektninger. Den unge, vakre piken er et aktivum, og slekten vil bruke henne til et annet og mere fordelaktig giftermål.

Og så tar tingene til å rulle, den ene handling fører den neste med seg, skjebnene griper inn i hverandre som tannhjulene i et sinnrikt maskineri.

Det begynner med en usannhet. Olav og Ingunn erklærer at de ikke tilhørte hverandre som mann og kone før Ingunns slektninger hadde brutt det gamle løftet. De reiser til biskopen og legger sin sak under hans råd, og alt ser ut til å skulle løpe heldig av. Inntil Olav treffer sammen med noen av Ingunns slektninger. Da bryter det dulgte fiendskapet åpent frem, det ene ord tar det annet, og det ender med at Olav dreper en i flokken.

Så kommer de lange prøvelsens år. Olav er utlegg og må holde seg utenlands, Ingunn er forlatt, i sine slektningers vold. År etter år glir hen, det hender intet som kan gi henne et fast holdepunkt i tilværelsen. Altfor tidlig ble hun vekket av sine ungpikedrømmer til en voldsom virkelighet. Nå gir ikke virkeligheten henne noe å leve på lenger, og hun glir atter inn i en blek drømmeverden, hun gir sin dag og sin tilværelse innhold ved å tenke på det hun ønsker seg, det som *kunne* hende. En eneste gang får hun besøk av Olav, men det besøket er så kortvarig og så lite likt det hun hadde drømt seg, at han blir ikke nærmere og mere virkelig for henne efterpå. Så kommer virkeligheten til henne igjen. Hun møter en ung mann, hun leker litt med ham uten å gjøre seg helt klart hva som skjer, drøm og virkelighet glir over i hverandre, hennes ønskedrømmer går videre enn de ville gått hvis hun hadde vært en uberørt ung pike, de forbereder veien for elskeren. Først da det er for sent, blir hun fullt klar over hva som er hendt, at hun har sviktet sin ed, det eneste som holdt henne oppe, at hun har mistet den siste rest av sin ære, at hun har tilhørt en fremmed mann og skal ha barn med ham.

Og nå kommer Olav tilbake. Ingen venter at han skal holde fast ved Ingunn efter det som er hendt. Men så uløselig føler han seg knyttet til henne ved fellesskap i oppvekst og fellesskap i feiltrinn, men først og fremst ved den følelse av plikt til å beskytte henne som han har næret helt siden han første gang så på henne som kvinne, at han er ute av stand til å slippe henne.

De gifter seg og reiser hjem til hans gård. Men først hender det som mest av alt skal bli den skjebnesvangre handling for *ham*: han dreper den mannen som var Ingunns elsker. Mot sin vilje gjør han det, i et slags fortvilet, forsinket forsøk på å redde Ingunns ære; og han gjør det på en måte som gir ham følelsen av niddingferd. Han dreper ham visstnok i åpen kamp, men det er på en skitur som den annen er blitt med på i god tro. Og han rydder sporene bort efter seg, som om det var en ugjerning han hadde begått, han brenner seterhytten der liket ligger, og unnlater å lyse drapet på seg da han kommer ned i bygden. På den måten blir det jo minst snakk om saken, og det må ikke hvirvles mere snakk opp omkring Ingunn nå.

Her ender første bind. Og så går da Olav og Ingunn inn i sitt nye samliv, begge rammet inn til margen, og rammet av den samme mann, av en mann som man ikke skulle tro var skapt til å spille noen som helst rolle i deres liv. Tilfeldighetenes spill . . . Men det tilfeldige står her i tjeneste hos en uavvendelig skjebne.

Annet bind er en eneste mørk og lang lidelsens historie.

98

Ett for ett knuses alle de håp som de to ennå prøver å nære. Ingunn er blitt ødelagt av alt det hun har gjennomgått, livsviljen i henne er knekket, hun henger ved Olav med en ydmyk kjærlighet, han er hennes eneste forbindelse med livet; men hun har ikke lenger kraft nok i seg til å kunne få levende barn, hun får dødfødte eller ufullbårne barn gang efter gang. Og Olav og hun tenker sitt. Hun tenker på sitt store fall, på sin elendighet og uverdighet, og på den misgjerning hun gjorde som krone på det hele, da hun satte sitt eget levende barn ut blant fremmede. Og han tenker om igjen og om igjen på sitt usalige niddingsverk, på den unge intet anende mannen som han overfalt og drepte inne i skogen. Nå er straffen over dem begge.

De vandrer gjennom smertens dal, hvor mørket bare avløses av dypere mørke, og elendigheten bare opphører for å erstattes med større elendighet. Inntil Ingunn omsider dør, og Olav står alene igjen. Og vi aner at i neste bind skal lidelsen gå over i omvendelse, botferdighet og forsoning.

Utrettelig følger Sigrid Undset de to på deres vei, stadium efter stadium på lidelsens bane. Men vi, hennes lesere, kan ikke unngå å trettes under denne pinefullt nøyaktige beretning om bare onde ting; vi sløves til slutt som av en altfor lang og ensformig smerte; når det ikke er et eneste lys å se frem til, da hender det at øynene våre uvilkårlig lukker seg.

Derfor gir «Olav Audunssøn» et mindre rikt, et mindre sterkt billede enn «Kristin Lavransdatter».

Dette inntrykk forsterkes kanskje ved at Olav og Ingunn er langt mindre glansfulle mennesker enn Erlend og Kristin. Dertil kan igjen svares, at jo mere alminnelige de to er, desto større almengyldighet vil skildringen få. Ja, det er mulig; men sikkert er det at den nye romans skremmende botspreken efterlater mindre inntrykk enn den forriges fulltonende fortelling om livet på godt og ondt.

Sigrid Undsets nære samhørighet med det levende liv viser seg denne gang best i de mange bipersoner hun forteller om eller bare løselig nevner. Noen ganske få setninger – og hun har fanget det vesentlige inn på en slik måte, at vi uvilkårlig rykkes med og ønsker å vite mere, gjerne en hel saga, om nettopp dette mennesket.

Jo, livet lever også i denne boken.

Sigrid Undsets bøker eier den store kunsts evne til å tilfredsstille mange og vidt forskjellige fordringer. Noen av hennes lesere søker utvidet kunnskap, andre øket samfølelse med fortiden. De forholdsvis få som søker kresen artistisk nytelse, behøver heller ikke gå skuffet bort. Men den innerste årsak til at hun har fått en så kolossal leserkrets i de siste år, er vel den at hennes bøker i historisk forkledning behandler problemer som er levende den dag i dag. Av sagaens store og sterke hendelser kan leserne låne glans til forgylning av sine egne fattige skjebner.

II.

Olav Audunssøn og hans børn I–II
(1927)

Når man forsøker å overskue rekken av Sigrid Undsets middelalderromaner, fra første bind av «Kristin Lavransdatter» til dette siste bind om Olav Audunssøn, da kan man bli slått av, at i grunnen står vi her overfor den samme kurven som den hennes moderne romaner gjennomløp.

Hennes romanrekke fra moderne tid begynte praktfullt og fulltonende med «Jenny», og endte med de tungleste bindene som skapte begrepet Welhavensgate i norsk litteratur. Vi husker dem, de tykke bøkene som fortalte om våte strømper og klesvask og barnefødsler og bleier og små leiligheter og små sorger som la seg grå og tyngende som klam høsttåke over menneskenes sinn. Et hjertelig og muntert smil var aldri å se i den litterære Welhavensgate, og derfor er det vanskelig å minnes de bøkene uten å få veltet over seg litt av deres grå stemning.

Men de var jo gode.

Beskriver ikke middelalder-bøkene en lignende kurve? De begynte med det strålende og glansfulle bind «Kransen», som forteller om Kris-

100

tin Lavransdatters første ungdom. Her er landskapet ennå klart og duggvått og muntert, det er preget av det nyskaptes friskhet – eller var det vi som ble fjetret og blendet, fordi en dør for første gang ble slått opp for oss mot en utsikt vi tidligere bare hadde en uklar anelse om?

I de to bindene av i år går den tause Olav Audunssøn hjemme i Hestviken, efterhånden mer og mer innesluttet og skummel, en grubler og selvplager av nøyaktig samme stoff som de senere pietister, og det virker grandgivelig som han går og tråkker seg opp sin egen Welhavensgate der i Hestviken, mange hundre år før både Welhaven og Welhavensgate var påtenkt.

Tenker man litt nøyere over dette inntrykket, så vil man visst bli nødt til å innrømme, at denne kurven fra det glansfulle mot det grå, den gjelder mere de ytre ting i bøkene, det er miljøet, hendelsene, den ytre ramme som efterhånden forandrer seg. Hovedpersonenes sinn er i grunnen ikke så forskjellige fra bok til bok. Enten vi tar for oss Jenny, Kristin Lavransdatter eller Olav Audunssøn, så møter vi stort sett det samme sinn. De er jo rikt og sjeldent utstyrte personligheter de tre, overmåte vel begavet både fra forstandens og følelsens side, som det heter. Det er dypt til bunns i dem, og de har den egenskap som bare de store dikteres skapninger har, at hvor dypt enn dikterens egen analyse fører oss ned i hans menneskers sinn, så har vi allikevel følelsen av at det fremdeles er langt igjen til bunnen. Det er med andre ord intet av skjema over disse tre personene, de er levende, de fanger vår fantasi fordi vi merker at de kan oppfattes på forskjellig vis, og fordi vi aldri kan vite med oss selv at nå har vi funnet den ene riktige nøkkelen inn til deres aller innerste hemmelighet.

Hva kan det da komme av at disse tre menneskene, som fengsler vår fantasi og vekker vår beundring, samtidig på sett og vis virker så knugende på oss?

Deres sinn er av den art som grubler og ruger – over krenkelser, over egne og andres feiltrinn, over virkelige eller innbilte misgrep. Deres tanker har lett for å forstene seg til fikse idéer. Vi vet ikke riktig om vi skal kalle dem selvplagere eller selvrettferdige, for de er begge deler på samme tid. I voldsom grad selvopptatt er de, og har et elendig dårlig grokjøtt, som de fleste sterkt selvopptatte mennesker. De ser på oss med kolde øyne midt i sin fromhet. De mangler evnen til å tilgi og glemme. De mangler evnen til å ta ting lett. Og først og fremst mangler de den nådegaven som heter humor. *Det* er hovedgrunnen til at det undertiden kan føles litt ukoselig og knugende å være i stue sammen med dem.

Sterkest gjør denne følelsen seg gjeldende overfor Olav Audunssøn i boken av i år. Ikke et eneste godlidende smil lyser noensinne opp i det strenge ansiktet hans. Han kan ikke glemme en eneste vond ting. Hans fikse idéer om synd og skyld fyller mer og mer opp i ham. Efterhånden blir han så patologisk nedtrykt og forstenet og humørforlatt, at vi bokstavelig talt trekker et lettelsens sukk hver gang vi oppdager at nå skal vi lese om andre en stund. Og det enda vi liker ham fra første øyeblikk, og føler hans skjebne som en bitter tragedie. Men hans mangel på humor gjør at det blir noe ørkenaktig tørt ved tragedien, hans skjebne blir på samme tid pinlig og tragisk.

Som nær sagt det sanneste ord i boken føler vi sønnen Eiriks ord til faren:

«Det har aldrig været lystig at leve i Hestviken, far. Mor tynte du – jeg vet ikke om du gjorde det med vilje eller ikke. Siden har du gjort alt du orket for at tyne os, til vi mente det samme, Cecilia og jeg – at alt var bedre end at bo i hus med dig. Husk det, når hun flytter hit til dig – og vær som en kristen mand og ikke som et bergtrold mot børnene hendes.»

*

Ved begynnelsen av «Olav Audunssøn og hans børn» treffer vi Olav i Hestviken ganske kort efterat hans kone Ingunn er død. Boken danner med andre ord en direkte og ubrutt fortsettelse av «Olav Audunssøn i Hestviken».

Vi ser at han er i ferd med å rette seg og puste ut efter alle de mørke årene da han hadde konen liggende lam og hjelpeløs i sengen. Men samtidig kverner tankene hans nå som alltid rundt den ene onde erindringen: Islendingen, hans kones forfører, som han lokket inn i skogen

102

og drepte. Sent og tidlig tærer minnet om denne ugjerningen ham, noe i ham vil drive ham til skriftemål og tilståelse, andre krefter hindrer det. Stadig minnes han om alt dette, om fortielsen og hele ulykken, fordi han jo har tatt til seg Eirik, islendingens sønn med Ingunn. Han gjorde det for å bøte ugjerningen. Men nå tror alle at Eirik er hans egen sønn – så blir det en del av fortielsen. Og selv går han og nærer en snikende uvilje mot gutten, og pines over at denne gjøkungen trenger hans egne barn ut av arven – det er en del av straffen. Han tar imot et tilbud om å reise i handelsferd til London. Her i det fremmede drives han inn i en avgjørende religiøs krise. Denne krisen, som gir første del av boken adskillig likhet med en katolsk traktat, ender med at Olav vender tilbake til Norge og til sitt gamle liv. Han har vist Gud bort fra seg. Eller, for å bruke andre ord: Han har nektet å lette sitt sinn ved å åpne seg for menneskene. Han lukker seg til omkring sin skyldfølelse, han pansrer seg mot verden, men dermed tvinges han til også å pansre seg innad, mot seg selv. Han merker at han blir kald og frossen i sinnet. Og så går det slik at det ene trekker det andre efter seg, forbannelsen er kommet over ham, og hva han enn gjør, så vender det seg til det onde. Da han i sin alderdom utsettes for ulykker så svære at han endelig rives ut av forsteningen og bestemmer seg til å tilstå alt, da er det for sent. Han rammes av slag, tungen blir lam på ham like før skriftemålet, og han lever sin siste tid som et vrak, i tvungen taushet, stengt ute fra andre nå som alltid. Han ender som en pine og plage for seg selv og sine, og som en skrekk for de små barna på gården. Så henter døden ham sent omsider.

Det er en bestemt bok som ofte dukker frem i erindringen under lesningen av «Olav Aundunssøn og hans børn». Det er Arne Garborgs roman «Fred». Enok Håve forsøkte å lystre Guds røst, og den drev ham ut i tungsinn og selvmord. Olav Audunssøn forsøker å trosse, og det går ikke stort anderledes. For ingen av dem kan trosse eller flykte fra sitt eget mørke vintersinn.

Med jernhård styrke og konsekvens gjennomfører Sigrid Undset skildringen av dette menneskesinns indre tragedie, skyldfølelsens tragedie. Som et lite spirende frø blir følelsen av synd og skyld sådd i sinnet, og der hvor den finner jordbunn, der vokser den opp til et tre som skygger og gjør det mørkt i hele sinnet, så intet annet kan gro. Fremstillingens dikteriske rikdom fremgår blant annet av dette, at alt eftersom leseren heller til den ene eller den annen livsanskuelse, kan han finne den ene eller den annen forklaring på Olav Audunssøns tragedie. Han kan, som forfatterinnen på en måte har gjort det, oppfatte den religiøst: slik går det den som ikke lystrer Guds røst. Eller han kan se psykologisk-pedagogisk på den: slik går det den som ikke behandler sitt sinn hygienisk; den som ikke av og til sørger for å lette seg for alt som tynger ham, vil alltid måtte risikere å sette allting overstyr. Eller man kan endelig, om man vil, se det hele under en mere biologisk synsvinkel: et sinn av den art som Olav Audunssøns vil alltid ha en hang til mørksyn og fortvilelse, det er disponert for tungsinn og anger og tragedie hvordan man enn steller med det.

Olav Audunssøns skjebne kan sikkert sees fra enda en rekke sider; og det samme gjelder boken som helhet. Den er ikke en av de bøker man kan gjøre seg opp en ferdig mening om med en gang. Det er sîg i den. Hvor høy rang den kan komme til å innta i forfatterinnens produksjon, det er det ingen gitt å avgjøre hverken for seg selv eller andre på en kort kveldsstund. Men en mørk og skremmende bok er «Olav Audunssøn og hans børn», den tyngste og enstonigste av Sigrid Undsets bøker om norsk middelalder.

Helge Krog

(1949)

Den norske litterære tradisjon er radikal i langt høyere grad enn den danske og svenske. Det er nok å nevne navn som Wergeland, Ibsen – Bjørnson – Kielland, Hans Jæger, Arne Garborg, Gunnar Heiberg og Nils Collett Vogt. Rekken kunne forlenges med mengder av mindre navn. Årsakene til dette forholdet er mange, og det ville føre for langt å komme inn på dem her. Tiden fra 1890 bryter litt av denne tradisjonen. Romantikken satte inn, og hånd i hånd med den oppsto det en historisk-psykologisk interesse, delvis av rent lokal art: Hvordan er vi blitt til som folk, hva er det som har gjort oss til det vi er? Problem- og opprørsdiktningen fantes fremdeles, men var ikke lenger den toneangivende. De som ga tonen, var Hamsun, Kinck, Tryggve Andersen, litt senere Sigrid Undset, Olav Duun, og i lyrikken Olaf Bull og Wildenvey.

Gunnar Heiberg og Collett Vogt fortsatte; men Heiberg lot efterhånden sjelden høre fra seg, og Collett Vogt ble mindre opprørsk, mere tilbakeskuende med årene.

Norsk åndslivs gamle radikale tradisjon ble fra ca. 1920 for en vesentlig del overtatt av en studentergruppe, Mot Dag, ledet av den merkelige mann som hette Erling Falk, og under innflytelse av denne gruppen ble de unges interesser drevet mer i politisk enn i litterær retning.

I tiden mellom de to verdenskrigene var det først og fremst Arnulf Øverland og Helge Krog som opprettholdt vår radikale tradisjon på det litterære område. I de siste årene (fra 1935) kom Nordahl Grieg til. Men redegjørelsen for Øverlands og Griegs innsats i disse årene får vente. Det er Helge Krog som er temaet her.

Helge Krog kom tidlig inn i det litterære liv. Han er født i 1889; men allerede flere år før 1920 var han blitt hva vi pleier å kalle «en kjent og fryktet kritiker». Sitt første skuespill «Det store Vi» utga han i 1919.

Helge Krogs litterære virksomhet i de tyve mellomkrigsårene deler seg i to noenlunde like store halvdeler. Han var kritiker og dramatiker. De viktigste av sine kritiske arbeider har han efterhånden utgitt i tre artikkelsamlinger med fellestittelen «Meninger». De viktigste skuespillene er i kronologisk rekkefølge: *Det store Vi, Jarlshus, På solsiden, Blåpapiret, Konkylien, Underveis, Treklang, Oppbrudd, Levende og døde* (to enaktere).

La oss først se litt på artiklene.

De omfatter et stort register. De handler om bøker, om teater, om samfunnsspørsmål, religion og politikk. For meg står det slik, at det er umulig å finne tre andre bind i mellomkrigstidens norske litteratur som gir et så omfattende, rikt og inntrengende, og først og fremst et så *redelig* bilde av tidens kulturliv. Alt i alt rommer disse bøkene noe av det ypperste som er skapt av norsk artikkelkunst. Man må tilbake til det aller beste av Gunnar Heiberg, Arne Garborg og Nils Kjær for å finne maken.

Men de representerer *ikke* kunst for kunstens skyld. Hver artikkel har sin klare tendens. Og denne tendensen blir med årene stadig mere *radikal*. Til å begynne med er de ofte slentrende og ertende; senere griper de dypere, blir alvorligere og farligere.

Skal en søke å karakterisere disse artiklene, er det ett ord som straks melder seg. Det er ordet *klarhet*.

Sproget er klart og enkelt. Tanken er klar. Logikken er klar, innlysende, ja selvlysende. Den kan undertiden slå ned som et lyn gjennom tåken.

Disse bøkene utstråler lys. Av og til – når Krog skriver om folk han liker og beundrer, som Ibsen, Shaw, Heiberg, Olaf Bull, kommer det en egen varm tone over lyset. Andre ganger – og ikke så sjelden – kan lyset som utgår fra Krogs penn, sammenlignes med den smale, skarpe strålen fra en blendlykt. Da er han ute på jakt efter tyver, røvere og svindlere i åndens verden. Og i lyset fra denne strålen står de der plutselig, skarpt belyst, grepet på fersk gjerning.

Men én ting er felles for de fleste av artiklene: en egen boblende munterhet midt i angrepet. Ingen annen norsk skribent har eid denne munterheten i samme grad. Det er den glade, frie manns latter midt i kampen.

Det fins en linje i en gammel dansevise fra Færøyene; den lyder slik:

So glade rida Noregs menn til Hildeting.

Hildeting, det var kampen, det var slagmarken. Ikke alle skulle vende levende hjem fra det stevnemøtet. Men: So glade rida Noregs menn . . . Ja, det var den gang det! kan man si. Men det var ikke bare den gang. Helge Krog var en av dem som red glad til Hildeting.

Siden er det oppstått en generasjon som ser en hovedoppgave i dette å skildre angsten i alle dens former og avskygninger. En utmerket oppgave, kan man si – hvis den ikke tar i den grad overhånd, at buksene blir oppfattet som hjertets naturlige plass både under kamp og i fest.

Helge Krog hadde det i hvert fall aldri der. Men han bar det heller ikke utenpå vesten. Han lider i virkeligheten av en åndelig bluferdighet som har vært en stor hindring for ham som dikter. Men leser man hans tre bind artikler, så blir man slått av varmen i hans glede, når han finner noe av kvalitet. Den barske kritikken er bare andre siden av samme medaljen. Han reagerer rent organisk mot det uekte og forlorne, mot fusket. Og han har gjort det til en personlig æressak ikke å bøye seg for de tusen hensyn som de små og trange forhold medfører – dette resonnementet som sier: Ti stille med det ubehagelige, gå utenom! For før eller senere møter du fyren i selskapslivet.

Med alt dette være ikke sagt at jeg for min del alltid har vært enig med ham. Men han ønsker slett ikke at alle skal være enige med ham. Skjedde det, ville han bli urolig, og tenke: Har jeg sagt noe galt?

Jeg nevnte radikalismen i norsk åndsliv. Innenfor denne radikale falanksen fins det en mindre, men meget vesentlig gruppe. Den representerer, i sin fåtallighet, en adelig tradisjon. Det er dramatikerne, fra Henrik Ibsen og fremover.

Det forteller litt om hvilken vanskelig kunstform dramaet er, at i generasjonen efter Ibsen hadde vi nok adskillige som skrev skuespill; men vi hadde bare *en* virkelig dramatiker: Gunnar Heiberg. Og i generasjonen efter ham igjen ble det atter skrevet gode skuespill av og til. Men atter hadde vi bare *en* fullblods dramatiker: Helge Krog. Dermed være ikke sagt at Krog er noen ny Ibsen. Det gjør han ikke krav på. Ingen nulevende kan gjøre krav på det. Men han er på sitt område en arvtager, som Heiberg var det før ham. En arvtager og en viderefører.

Vi vet alle, at det er en vesentlig forskjell mellom videnskap og kunst, blant annet i den forstand at videnskapsmennene i så langt høyere grad kan bygge videre på forgjengeres arbeide. Det henger sammen med – som vi også vet eller bør vite – at videnskapens stoff er den fysisk målbare verden, og dens metode er undersøkelse, eksperiment og logikk. Følelsen må såvidt mulig holdes utenfor.

Kunstens stoff er de ting som ikke kan måles med metermål. Dette stoffet er i grunnen evig og alltid det samme – menneskets sorger og gleder, dets følelser og lidenskaper. Og metoden er på sett og vis den motsatte av videnskapens: innsikt ved hjelp av følelse.

Og allikevel er forskjellen mindre enn disse ordene antyder. For der er dypest sett ingen motsetning mellom forstand og følelse, ingen motsetning mellom logikk og innlevelse. Der finnes en skjønnhetens matematikk som vi ennå ikke kjenner lovene for, men vi kunne sikkert finne dem, hvis vi var guder i åndens verden.

I hvert fall gjelder det, at også i kunsten og litteraturen skjer det fremskritt. Visstnok må hver kunstner oppleve alle ting på ny, på bar bunn, som om han var det første menneske. Men under forvandlingen av opplevelsen til erkjennelse får han hjelp av alle dem som tidligere har slitt seg gjennom den samme prosessen. Visse grunnleggende ting er slått fast, visse former for tanker er funnet. Langsomt, langsomt – ikke minst ved hjelp av kunstnernes arbeide – svinner dessuten visse fordommer, som lenket tanken, fortrengte følelsen, forvrengte billedet. Også kunst er en form for erkjennelse, og den enes erkjennelse *kan* hjelpe den annen.

108

Forsåvidt er det frie åndsliv, kunstens og litteraturens åndsliv, et oppmuntrende syn sammenlignet med slektningen *det politiske liv*, der interessene nær sagt alltid seirer over innsikten, slik at hver oppstigning kan synes å ha som eneste formål å skape fallhøyde til neste nedstyrtning.

*

Gunnar Heiberg var vel en mindre dikter enn Ibsen. Men han var en friere mann. Det samme kan sies om Helge Krog. Han kom fra et friere miljø, og virket i en mindre bornert tid. Der hvor den gamle mumlet i gåter, drevet til å meddele seg, men samtidig redd for å bli forstått, der kan en senere og forsåvidt lykkeligere dikter si tingene rett ut.

Mange ting ligger i halvlys hos Ibsen. De ligger i dagslys hos Helge Krog.

En viderefører altså. Men også en elev.

Det er blitt innvendt mot Helge Krog, at han ikke er noen nyskaper i den dramatiske form. Det er på sett og vis ganske sant. Og jeg synes det er en fordel.

Det er i samme forbindelse blitt innvendt mot ham, at han har så god forstand. En god forstand skal altså være en feil hos en mann som utfører hjernearbeide.

Helge Krog *har* god forstand, og lider dessuten av den fikse idé at meningen med denne forstanden er at han skal bruke den.

Som forgjenger hadde han først og fremst Ibsen – den største dramatiske byggmester i verdenslitteraturen. I dramaets kunst *var* kruttet oppfunnet. Men ikke bare det – et presisjonsvåpen var konstruert. Det gjensto å lære å bruke våpenet, å skyte blink mot nye mål.

Det var det Helge Krog forsøkte. Han innlot seg ikke på nye og geniale eksperimenter med pil og bue.

Ofte, når jeg er vidne til den henrykkelsen som møter denne og hin såkalte nyskaper, ikke minst på dramaets område, må jeg minnes en erfaring jeg gjorde i min ungdom.

Det falt i min lodd å være matematikklærer i gymnasiet noen år. Da måtte jeg blant annet gi elevene geometrioppgaver. Blant besvarelsene fantes det regelmessig en del som var laget av hva jeg vil kalle skapende genier på området. Der forekom et virvar av streker, sirkler, perpendikulærer og halverte vinkler. Undertiden var disse konstruksjonene så innviklede at det var umulig å tyde dem; de efterlot bare et sterkt inntrykk av fantasi og dypsinn.

Men de var alle sammen gale. Den *riktige* løsningen var som regel ganske enkel.

Nei, Helge Krog er ikke revolusjonært-kaotisk i sin dramatiske form. Han hadde lært hos sine forgjengere, hos Ibsen, Shaw og Heiberg, hvor matematisk streng denne formen er i sine krav. Og han påla seg frivillig formens tvang.

Det var en streng skole han gikk i. Den stilte store krav, men den ga sin belønning.

Vi vet at det fins diktere som først i den bundne form vinner sin fulle frihet. Versets og rytmens tvang frigjør sprogets krefter i dem, ja, frigjør personligheten, slik at vi allerede efter et par linjer kan si: Dette er *ham!*

På lignende måte i dramaet. Det er et adelsmerke ved den norske dramatikk fra Ibsen av, at formen er streng, ja, konservativ om man vil. Men denne formens strenghet blir tatt i et opprørs tjeneste, formens tradisjon brukes til å bryte med tankens konvensjon og følelsenes feighet.

Denne strenge tradisjonen i norsk drama er Helge Krog den første representant for i dag. Det er den som har frigjort hans krefter.

(Med linjene ovenfor mener jeg selvsagt ikke å hevde at Ibsen egner seg som mønster for all dramatikk. Strindberg frigjorde seg fra den, og frigjorde samtidig nye krefter i seg selv. Det kan også tenkes å være riktig det som enkelte amerikanske kritikere hevder, at Ibsens form egner seg særlig for *familiedramaet.* Men familien eksisterer så vidt jeg vet fremdeles.)

*

Det lar seg ikke nekte, at hovedinntrykket av Ibsens dramatikk er ganske dystert. En får et billede av mørk høst og lang vinter, trykkende luft, små forhold, skrantne samvittigheter. Nei, Norge var ikke noe muntert land å leve i. Allerede hos Heiberg er det anderledes. Visst avslører han hykleri og ondskap, feighet og ynkedom. Men vi møter en lysere og varmere luft. Det viser seg at det også kan være *sommer* i Norge.

Denne forskjellen hos de to dramatikere beror på mange ting. Det var tross alt blitt rommeligere i landet; men Heibergs temperament var også lysere, noe som vel delvis kan henge sammen med at hans liv i oppveksten hadde vært mere fritt og bekymringsløst. Hans slekt tilhørte den frisinnete del av det høyere Oslo-borgerskap.

Helge Krog kom fra samme miljø som Gunnar Heiberg – et velhavende Kristiania-miljø som efter datidens målestokk var radikalt, efter vår i hvert fall frisinnet. Hans far var advokat og venstremann, hans mor, Cecilie Thoresen, var Norges første kvinnelige student. En tante, Gina Krog, var den ledende i kvinnesaksbevegelsen.

Her ble Ibsen og Brandes og de radikale engelske filosofer, Stuart Mill, Herbert Spencer og andre lest med beundring, men også med kritikk. Europas åndsliv fant døren åpen. Disse liberale kretsene hadde for femti år siden nådd et frisinn som mange såkalte radikale i vår tid kunne ha nær sagt alt å lære av.

Dette er Helge Krogs utgangspunkt. Og, efterhånden som hans egen tenkning driver ham stadig lenger mot venstre, blir det dette miljø han avslører. Det er disse menneskene han setter lyset på for å vise at også deres frihet og frisinn er begrenset av mange underlige fordommer.

Med et slikt utgangspunkt, og med et muntert sinn som en del av sin åndelige kapital, er det klart at det ble Heibergs tradisjon Helge Krog til å begynne med måtte fortsette, mer enn Ibsens. Hans første skuespill, «Det store Vi», som, for å si det svært kort, viser pressens avhengighet av pengemakten, har sitt utgangspunkt i slike stykker av Heiberg som «Tante Ulrikke» og «Harald Svans mor».

«Det store Vi» er et radikalt problemdrama. Med det har Helge Krog tatt stilling på venstre fløy.

Men politisk trakk han ikke med en gang konsekvensen av sin litterære holdning og sin sosiale opposisjon.

«Jarlshus» som kom fire år efter, i 1923, danner overgangen til det nye.

Helge Krog har fortalt, at han slet surt og lenge med dette stykket. Det henger sammen med at han samtidig arbeidet seg ut av barndomsmiljøets tenkemåte og over til et mere radikalt syn.

For atter å si det kort: «Jarlshus» søker å vise hvor håpløst det er å lage kunstig forsoning mellom arbeider og arbeidsgiver i et samfunn der motsetningene – de økonomiske og kulturelle – fremdeles står steilt mot hverandre.

Den gamle brukseier Jarl har fått sine arbeidere med på en tilsynelatende forsoning. Arbeiderne skal få andel i utbyttet mot å gi avkall på retten til å streike. For å understreke forsoningen holdes det hvert år på Jarlshus gård en fest der arbeidsherren og hans familie sitter til bords og er «kamerater» med arbeiderne. Det ubehag som begge parter føler ved disse festene, er et av tegnene på at forsoningen er kunstig.

Så oppstår det generalstreik i landet. Men på Jarlshus fortsetter arbeidet; og det er ikke til å unngå at arbeiderne føler seg ille til mote. De føler seg som forrædere mot sine klassefeller.

I denne situasjonen er det at den årlige fellesspisningen skal finne sted. Og ved denne festen har gamle Jarl besluttet å trekke seg tilbake og overlate ledelsen til sin sønn – han går ut fra som en selvsagt ting, at sønnen vil fortsette virksomheten efter den linje han, faren, har trukket opp.

Det går anderledes.

I en stor oppgjørs-tale på selve festen, erklærer sønnen at herefter skal det bli kamp igjen. Og arbeiderne tar med glede mot utfordringen – nå kan de gå i streik sammen med kameratene.

«Jarlshus» kaster lys over de sosiale motsetninger og viser at kampen er uunngåelig. Men skuespillet er som sagt et overgangsarbeide. Begge parter kommer til orde, men arbeidsgiverne mest og best. Av selve stykket fremgår det ikke på hvilken side Helge Krog stillet seg i kampen.

Men selv visste han det. Fra da av var han sosialist.

*

Den som hadde ventet at nå måtte det vel komme en rekke sosiale dramaer fra Helge Krogs hånd – streikedramaer om man vil – han fikk lov å tenke om igjen.

I virkeligheten er det jo slik, at den såkalte streikediktningen, det er den aller enkleste og mest primitive form for sosial diktning. De sosiale motsetninger, spenningen, fordommene, hykleriet, uretten og undertrykkelsen, gir seg tilkjenne på *alle* livets områder. Og ikke minst i den mest intime del av menneskenes liv, i kjærligheten, i oppdragelsen, i kvinnens stilling, i kvinnens eget sinn.

Helge Krogs skuespill efter 1923 ble dramaer om kjærligheten, kvinnen og familien.

De viktigste av disse skuespillene er «Konkylien», «Underveis» og «Oppbrudd».

Nå skjer der det underlige – eller noe som slett ikke er så underlig – at eftersom Krog fordyper seg i disse problemene og selv radikaliseres mens han arbeider med dem, så fjerner han seg gradvis fra Heibergs dramatiske form og nærmer seg Ibsens.

I «Konkylien» kan vi si at han fremdeles er Gunnar Heibergs arvtager.

Sonja i «Konkylien» er en kvinne av den typen som alle vet forekommer, men som det ikke har vært god tone å gjøre til heltinne i et skuespill. Sonja er kvinnen som binder mennene til seg, men selv ikke lar seg binde. *Nomadekvinnen gjennom tusen år* er det navnet en av hennes elskere setter på henne.

Vi pleier å kalle denne kvinnetypen gåtefull, fordi vi ikke ønsker å se det faktum i øynene at hun muligens er det enkleste og naturligste av alt. Gjennom de tusener av år som vi kaller patriarkatets periode, har mannen vennet seg til at kvinnen skal være hans eiendom. Hun skal være knyttet til ham og ham alene – mens han, skapningens herre, selvsagt kan tillate seg litt av hvert.

113

Kvinnen som binder mennene til seg, men selv ikke lar seg binde – hvordan er hun, hvem er hun, hva er gåten ved henne? Hva løsningen av dette problemet angår, er en dag som tusen år og tusen år som en dag. Siden mannen fikk såpass tid tilovers fra kampen for tilværelsen at han så seg råd til å holde seg med erotiske konflikter, har denne kvinnen vært en gåte for ham, og hun vil fortsette å være det til dagenes ende; iallfall til enden av de dager vi kan overskue. Hvilket ikke forhindrer at utallige menn i bitre eller begeistrede øyeblikk har ment seg å se ned til bunnen av henne. Hvilket atter ikke forhindrer, at hennes gåte i nevnte øyeblikk er like uløst som før.

«Konkylien» handler om denne kvinnen. Da Sonja – som hun heter – som syttenårig pike i stykkets første akt legger konkylien inn til øret, hvisker den til henne: Videre! Videre! Videre! og hun er trofast mot seg selv, som hun kaller det, hun følger det bud som hennes eget blod hvisket og suste henne i øret. Stykkets fem akter viser henne i forskjellige stadier på veien videre. At første mann kommer tilbake i siste akt, betyr ikke at ringen er sluttet, som det heter, men at hun ikke følte forholdet fullbyrdet første gang. Forøvrig spør leseren eller tilskueren seg selv, om ikke denne tilbakekomsten mere skyldes en dramatisk enn en psykologisk nødvendighet. Kvinner av denne typen følger vel som oftest konkyliens bud: Videre, videre – uten å se seg tilbake, inntil de dager kommer, om hvilke det står skrevet at de behager oss ikke. Da er tiden inne til å vende blikket bakover og avsøke horisonten efter en eller annen trofast gammel venn som kan være villig til å avhjelpe tomheten . . .

Enkelte vil stille det spørsmål: Løser Helge Krogs «Konkylien» denne særlige kvinnes gåte? Til beroligelse for de menn som i angst og tvil ønsker gåten bevart, og for de kvinner som ønsker illusjonen opprettholdt, kan det sies at noen slik katastrofe ikke er inntruffet. «Konkylien» forteller om en kvinne som har den egenskap at hun blir skjebnen i flere menns liv; men om hennes innerste vesen får hver tro hva han ønsker å tro, dikteren fremsetter ikke noe ultimatum.

Tre ting kan ikke spores, sier Salomo: Ørnens vei gjennom luften, slangens vei over klippen og mannens vei hos kvinnen.

114

I den konkylien som heter Sonja, kan vi i noen tid høre ett og annet ord, en og annen talemåte klinge igjen, når hun har forlatt en mann. Det er det hele. Et sus av lidenskap har gått hen over henne, men har efterlatt henne fri, tom og uskyldig som før.

Sin styrke har skuespillet om Sonja ikke i noen inntrengende psykologisk analyse, stykkets tanke er vel nettopp den, at for en slik analyse er der ikke behov. Sin verdi har stykket først og fremst i sin enkle oppriktighet. Derved – blant annet – betyr det noe nytt i Helge Krogs produksjon og i norsk dramatikk. Hans tidligere arbeider kan sies å være hemmet av en viss skrekk for trosbekjennelser og kjærlighetserklæringer. Hva som var hellig og verdifullt for ham, fikk man ofte ikke vite direkte, men kunne jo trekke visse slutninger av den heftighet hvormed han som kritiker langet ut efter dem som han syntes nærmet seg de hellige steder på uverdig vis. I «Konkylien» finner et lyrisk stemningsinnhold heftigere, friere og rikere uttrykk enn noen gang før i Helge Krogs produksjon.

*

Noe av det «Konkylien» indirekte handler om, er dette: Hvordan ville kvinnens instinktliv arte seg, hvis hun torde vedstå seg det, uten den angst som mange tusen års undertrykkelse har listet inn i henne? Det problemet går Helge Krog videre med i det følgende skuespill «Underveis».

Hovedpersonen her, Cecilie Darre, er en moderne ung kvinne, selververvende og medlem av en revolusjonær akademikergruppe. Hun er ugift, men har en venn innenfor gruppen. Så oppdager hun at hun skal ha barn. Og samtidig oppdager hun at all hennes omtanke, ja, all hennes lidenskap samler seg om det kommende barnet. Hennes elsker er fra nå av bare en venn for henne.

Hun trekker konsekvensene av dette. Barnet er hennes, hun vil ikke dele det med noen, hun vil ikke gifte seg, hun vil ikke engang oppgi hvem barnefaren er.

115

I løpet av stykket oppdager hun så, trinn for trinn, hva en slik holdning koster. Kvinnens frigjørelse? Jo, den er alle samme tilhengere av – men den bør vennligst foregå efter mannens skjema. Cecilies vei til frihet går bort fra foreldre, bort fra hjem, ekteskap, familie, partigruppe. Den som vil være fri, får finne seg i å bli ensom.

*

Problemet i «Underveis» er satt voldsomt på spissen, og er gjennomført med bevisst ensidighet. Det Helge Krog her blant annet vil vise, er at kvinnens frigjørelse – kvinnens *virkelige* frigjørelse – rører ved alle menneskelige og sosiale problemer; og kanskje på andre måter enn vi på forhånd har tenkt oss.

Om «Underveis» kan sies å bygge på en psykologisk gjetning, så står «Oppbrudd» sikkert på virkelighetens grunn. Men dette skuespillet, som blant annet handler om kjærlighet som binder og kjærlighet som frigjør, er noe meget mer enn et vanlig realistisk drama. Over menneskene og handlingen her hvelver seg virkelig Ibsens himmel. Jeg tror det er tillatt å si, at «Oppbrudd» er det eneste norske drama efter Ibsen som tåler en sammenligning med mesteren selv.

Dermed være ikke sagt at det er fullkomment. Det omfatter et så veldig tema – selve grunntemaet om kjærligheten og friheten – og det borer så dypt i disse problemene, at stykket er blitt fylt like til sprengningsgrensen av tanker og erkjennelse. Som scenestykke betraktet er «Oppbrudd» tynget av sin tankerikdom.

Hovedproblemet er det som Helge Krog gang på gang er kommet tilbake til i sin dramatiske produksjon, helt fra han første gang tok det opp i «Jarlshus»: *Det frie menneske* – og veien frem til dette menneskehetens store mål.

Det var også ett av Ibsens store problemer – han skrev om «glade adelsmennesker». Men Ibsen så det mere utopisk – som et lysende mål i det fjerne. Helge Krog viser oss hindringene og avgrunnene underveis.

Her kan ikke og skal ikke gis noe referat av «Oppbrudd». Bare en detalj vil jeg nevne – efter mitt skjønn er den fenomenal i sin skarp-

116

sindighet. Den mannlige hovedperson i stykket, Ketil, har fått friheten på hjernen som en slags tvangstanke. Enhver følelse i ham fyller ham forsåvidt med angst, som den kan tenkes å binde ham. Og følelser fra andre fyller ham med noe av den samme angst – for også andres følelser kan bli et bånd. Her oppstår da det paradoksale at trangen til frihet kan bli så sterk at den virker som en lenke. Overført til det fysiske plan kan Ketil minne om en mann som er så redd for å bli innesperret, så redd for «det lukkede rom» at han faktisk blir innesperret i denne angsten.

Der har man en av hindringene på veien.

Som nevnt: I sin problemstilling har Helge Krog i stigende grad nærmet seg Ibsen.

Men her er det ikke tale om noen gjentagelse. Tiden er gått, og vi med den. Også problemene synger sitt Videre! Videre! Videre!

For å ta bare et par eksempler:

«Underveis» handler blant annet om hva den gode doktor Stockmann, helten fra «En folkefiende» ville ha sagt og gjort hvis hans datter var kommet med noe så uhørt som å ville ha et barn uten å oppgi barnefaren. Det er grunn til å frykte, at han ville ha oppført seg som en ekte gammeldags hustyrann. «Oppbrudd» har visse likheter med «Et dukkehjem». Men en hykler som Ibsens Helmer kan en moderne dramatiker ikke tillate seg – da ville ikke konflikten bli helt alvorlig. *Vårt* selvbedrag må være litt mere innviklet. Og heller ikke går Helge Krogs Vibeke sin vei med dramatisk smell i porten sånn som Ibsens Nora. Hun går rolig ut til sitt arbeide. Et nytt kjærlighetsforhold med Ketil er ikke utelukket. Men da må *han* først arbeide seg frem til hennes stadium av frihet.

*

Hva blir summen? Hva slags person er denne mannen?

Han nedstammer åndelig fra Ibsen og Brandes, fra Anatole France, Heiberg og Shaw, og i det fjerne skimtes grandonkelen Voltaire.

Altså en rasjonalist?

117

Ja. Forsåvidt som han tror på forstandens evne til å skape orden, lys, renslighet og redelighet.

Men *de* tar feil og mister noe av det vesentlige, som ikke har oppdaget at det skjuler seg noe av en romantiker, ja, en mystiker bak rasjonalisten.

Helge Krogs romantikk og mystikk viser seg sterkest i hans tro på kjærligheten, kvinnen og det kommende frie menneske.

Hva angår hans tro på kvinnen, så kunne vi, hvis vi ville være ubehagelige, si omtrent som så:

Mennene kjenner han så godt, at han vet: der er det smått stell og bare lite håp. Men kvinnen kjenner han ikke – *han* like lite som noen annen mann, ja, like lite som kvinnene kjenner seg selv. Han ser henne i et rosenskjær av forelskelse; og dermed gir hun ham illusjon, tro og fremtidshåp.

Ja, og hva så? Skulle ikke den illusjonen allikevel ha noe for seg? Forelskelse kan gjøre blind, men den kan også skjerpe synet. Kvinnen er fremdeles *den undertrykte*. Den som tror på friheten som en verdi, som noe skapende, han må også tro at nye verdier vil oppstå for oss alle når kvinnen blir fri.

*

Er han altså helt uten plett og lyte denne mannen?

Nei, fullt så enkelt er det ikke.

Jeg har sett ham noen ganger sammen med Nobelpristagere og andre berømtheter; og det kunne ikke være tvil om hvem som var den rikeste, den mest suverene person i værelset. Det var ikke Nobelpristageren, det var ikke den verdensberømte.

Men Nobelpristageren var nok en merkeligere dikter.

Helge Krog er vår essayist nummer en. Som dramatiker er han også nummer en blant våre nulevende. Allikevel kan det sies (som det i sin tid kunne sies om Nils Kjær) at hans personlighet er rikere enn hans diktning. Der fins dybder i hans sinn og områder i hans erfaring som han aldri har kunnet eller villet bringe over i dikterisk form.

Hva kan det komme av?

Jeg tror det kommer av at han er litt for meget moralist og har litt for faste prinsipper. En dikter bør – tror jeg – undertiden spørre seg selv: Sett om all moral lyver? – og forsøksvis se amoralsk på det som skjer, det vil si rett og slett nøye seg med å være *øynene som ser*. Jeg er ikke sikker på om Helge Krog noen gang har gitt seg selv lov til det.

Efter Hamsun har det neppe levet noen norsk skribent som har vært mere beundret av menn og mere elsket av kvinner enn Helge Krog. Men det erfaringsmateriale livet derved har gitt ham, har han bare delvis vært villig til å bruke i sin diktning. Lojalitetsfølelse har bundet ham, som den bandt Kielland. Lojalitetsfølelse – og prinsipper. Husk, han var ikke bare sønn av den høyt begavede Cecilie Thoresen, men også nevø av Gina Krog.

*

Av sine uvenner – og dem har han jo sørget for å skaffe seg en del av – er Helge Krog blitt kalt salongradikaler.

Dette ordet er oppfunnet som skjellsord av folk som ikke tør være radikale, men allikevel ikke slipper inn i salongene.

La oss ta et lite overblikk over salongradikalerne.

Karl Marx var salongradikaler. Engels og Lasalle likeså.

I senere tider var Henrik Ibsen, Georg Brandes, August Strindberg, Bernard Shaw og Anatole France salongradikalere.

Arbeiderbevegelsen har fått en vesentlig del av sitt idéinnhold fra salongradikalerne.

Verdens moderne åndsliv har fått en vesentlig del av sin stimulans fra samme kilde.

Om Helge Krog være det i denne forbindelse bare sagt: Han har vanket i salongene. Men han har vanket der på sine egne betingelser.

Nordahl Grieg

Minnetale i Medborgarhuset i Stockholm 9/2-44[*)]

Nordahl Grieg, den mest levende av oss alle, er død. Vi har vanskelig for å fatte det. I den grad var han blitt en del av vårt eget liv, en del av selve Norges liv i disse årene. Vi kunde neppe ha lidd et større tap. Brente byer kan vi bygge op igjen. Gods og gull vi er blitt plyndret for, kan vi skaffe oss tilbake ved nytt, hårdt arbeide. Umistelige venner og kampfeller kan vi ikke erstatte.

Nordahl Grieg kan vi ikke erstatte. En vesentlig del av Norges kampvilje, frihetslengsel og selvfølelse fant sitt uttrykk nettop gjennem ham. De levende ordene han hadde å si oss, kan ingen annen si nettop slik. Den evnen til å åpne utsyn, få murer til å falle, samle folket i håp og tro som han hadde, den har ingen annen på samme måten.

Derfor er tapet uerstattelig.

Derfor har vi så vanskelig for å forsone oss med at han er borte.

Derfor er det så mange som – på tvers av all fornuft – nekter å tro at han er død.

For ham selv kan slutten ikke ha kommet så uventet. Ingen kaster sig så mange ganger ut i det farlige og ukjente uten å vite at denne gangen kan det skje. Ingen går gang på gang op i kampfly under krig, til tokt over fiendtlig område, uten å vite at denne gangen kan være den siste.

Han har sett denne slutten i øinene. Og vi vet, at han syntes: den måten å dø på – å bli hugget av midt i blomstringen – det var ikke den

---

*) Uoverensstemmelser i ortografien skyldes at artiklene er hentet fra de tilgjengelige utgaver.

verste måten. Han har skrevet en bok, «*De unge døde*», den handler om engelske diktere som blev revet bort, som han nå, midt i blomstringstiden. Og med all sin veltalenhet gir han i den boken uttrykk nettop for det synet, at *det* var ikke det verste som kunde hende dem. Kanskje det på lang sikt var det beste – både for dem og for oss? Med sine 41 år var Nordahl Grieg efter norsk målestokk enda en ung mann. Han har nå sluttet sig til rekken av de unge døde han skrev om – Keats, Shelley, Byron, og til gruppen av unge diktere fra forrige verdenskrig. Han står godt i den gruppen. De er av ett blod, de og han. Han selv er nå hinsides tap og savn. Men vi andre, vi kan ikke la være å tenke på tapet. Nordahl Grieg hadde efter menneskelig beregning de helt avgjørende *opgangens* år foran sig. Hvad vi har mistet ved at han har mistet dem, det kan vi ikke måle. Vi vet bare, at mange mennesker er blitt fattigere ved hans død.

Nordahl Grieg kom som en eventyrprins inn i norsk litteratur, er det blitt sagt. Og det er sant. Fra den første dag han dukket op stod det et brus av liv, av seirende ungdom, av eventyr omkring ham. Det var i 1922 han debuterte med diktsamlingen «Rundt Kap det Gode Håp». Han var 20 år den gangen, og student fra to år før. I mellemtiden hadde han vært et år til sjøs, og diktsamlingen bygget på oplevelsene hans fra det året.

Den sjøreisen som jungmann forteller noe om Nordahl Grieg. Han var ikke sjøsterk, og blev det aldri. Allikevel – eller nettop derfor – drog han til sjøs.

Tilsvarende handlinger kan vi iaktta gang på gang i hans senere liv. Det var noe ubendig i ham, noe som alltid opsøkte motstanden, som for å ha noe å prøve kreftene på. Det må ha vært noe av et – bevisst eller ubevisst – prinsipp hos ham, det der, å følge motstandens lov, å velge den største motstands vei.

Det gjaldt ikke bare den ytre motstand, den ytre fare. Kanskje ikke engang fortrinsvis den. Han hadde vel, som de fleste av oss, et eller annet sted i sig en hang til slapt, dovent, kontemplativt liv. Men

121

denne hangen anerkjente han ikke og behandlet den meget hårdt, nettop når det gjaldt ham selv.

Andre ting tok han lettere. Han var utstyrt med usedvanlige gaver. Han hadde en kraft som kunde rive med, han hadde et tidlig modent og meget stort talent, som mangen gang tilsynelatende gav ham som foræring det andre måtte slite både hårdt og tungt for å nå. Alt det tok han som noe selvfølgelig og naturlig, – hvad det jo også var, for ham. Det var noe som *var* der.

Men selve livet tok han alvorlig nok, og glemte aldri det vesentlige for det uvesentlige.

Med romanen «Skibet går videre» som utkom i 1924, slo han dundrende igjennem, to og tyve år gammel. Det taket han der fikk på sitt publikum, mistet han egentlig aldri siden, – enda en slett ikke kan si at han *gjorde* noe for å holde på det. Tvert imot, han behandlet ofte sitt publikum en smule nonchalant. Det var jo ikke forfatter av fag han vilde være. Han vilde være dikter, og dessuten en fri farende fugl, han vilde se verden, vilde opleve tiden på kroppen, fare kloden over – verdensreporterens liv stod sikkert mangen gang for ham som noe langt mere lokkende enn forfatterens.

Men verdensfjern var han ikke. Han fant ut at en embedseksamen kunde være bra å ha. Godt, han besluttet sig for å ta filologisk embedseksamen. Da han kom inn på filologisk leseværelse første gangen og så den lange rekken av stille, bleke, flittige studenter med ansiktene bøiet over bøkene, snudde han sig til en venn og våbenbror og sa: «Du – dette studiet gjør vi unna fort!»

Han gjorde det, for sitt vedkommende. Han gjennemførte det seks års studiet på fire år. Og en stor del av den tiden hadde han full stilling som journalist, utgav dessuten tre bøker, og lå et år i Oxford.

Noen lærd filolog blev han ikke på disse fire årene. Men han kom sig alltid i land på sin fenomenale evne til lynsnar orientering og tilegnelse av det vesentlige.

Og så tok han fatt på sitt mangeårige reiseliv. Han var i Frankrike og England, han brukte en ferie til å gå på sin fot tvers gjennem Europa fra Danmark gjennem Tyskland, over Alpene og til Rom. På Rivieraen

122

kjøpte han sig et hus en sommer, et tre etasjes hus – med ett rum i hver etasje. Han betalte tre tusen kroner for huset, og fikk pengene tilbake da han solgte det igjen om høsten.

I 1927 dro han gjennem Russland og Sibiria til China – det var krig og revolusjon der borte, og de tingene kunde han nok ha lyst til å se på. Der støtte han første gang på kommunismen. Han reiste meget. En vinter holdt han til oppe i det nordligste Finnmark, og tenkte alvorlig på å bygge sig et hus og slå sig til der oppe. Han fant klimaet og naturen der nord stimulerende, en blev tvunget til å ta frem kreftene som han sa. Men Syden trakk også, det blev en ny Europa-tur, og nye bøker.

Og så kom reisen til Russland. Det var vinteren 1932–33. Atter en beslutning som forteller om den største motstands lov, og om det ukjente som drog. Russlandsopholdet finansierte han ved å påta sig å oversette et utall av Jack Londons bøker. Stenografene hans under det arbeidet kan fortelle litt om *tempo*.

Han kom tilbake fra Russland som overbevist stalinistisk kommunist.

«Den overbevisningen er så fast i mig som sement,» sa han selv.

Nå tror jeg ikke han hadde drevet særlig inngående studier av kommunistisk teori. Han lå ikke for sånt. Han var orientert, men det var nok mest den lynsnare opfatningsevnen hans som hadde hjulpet ham, der som så ofte før.

Det var avgjort ikke teoretiske studier som hadde skaffet ham den faste overbevisningen. Det var studier i marken, det var *oplevelsen av det nye Russland*, synet av et ungt og veldig folk som våknet til liv og tvers gjennem trengsler og unevnelige savn blir sig sin kraft og sine evner bevisst. Vi som ikke har vært der borte, vi kan nå, efter to og et halvt års tysk-russisk krig, bedre forstå hans holdning enn vi kunde det den gang.

Det var selve velden, kraften og farten i det han så som talte til noe i ham og endte med totalt å vinne ham over.

Han trakk sammenligninger med hjemme-Norge.

Han hadde alltid til en viss grad følt sig innesperret i mellemkrigstidens forsiktige, langsomme Norge. Ikke minst det litterære miljøet hjemme virket på ham som noe trangt og innestengt. *Akvariet* likte han å kalle det miljøet.

Det nye evangeliet han forkynte da han kom tilbake fra Russland, vakte ikke bare jubel.

Før han drog var han selve folkets yndling blant dikterne våre. Ikke slik å forstå at han hadde de aller største oplagene, de aller fleste opførelsene. Men slik, at folk merket selve det bruset av ungdom, av liv og kraft, av eventyr som stod omkring ham, og elsket ham for det, på en annen måte enn de satte pris på så mange bra diktere.

En stor del av denne populariteten satte han overstyr da han kom hjem som glorød kommunist. Men jeg tror ikke han ofret det tapet en eneste sørgmodig tanke.

Han hadde så meget annet å tenke på. Skuespill skulde skrives – i løpet av tre år skrev han de tre skuespillene «Vår ære og vår makt», «Men imorgen» og «Nederlaget». Romaner skulde planlegges – «Ung må verden ennu være» utkom i 1938. Og tidsskrift skulde utgis. Hvor mange norske forfattere og forfattergrupper har gått omkring i årevis og planlagt tidsskrift? Nordahl Grieg planla en ganske kort stund – så *utgav* han tidsskrift. Det var «Veien frem». Det førte et uregelmessig liv i de to-tre årene det kom. Men adskillig som ellers ikke vilde kommet til orde i norsk presse og åndsliv, fant uttrykk der.

Og så kom krigen og 9. april 1940. Resten er kjent av alle.

Som så ofte før oplevde han også denne gang det eventyrlige. Han var med i den lille gruppen som reddet Norges Banks gullbeholdning tvers gjennem landet fra Oslo til Molde under tysk bomberegn, videre langs kysten op til Tromsø – gullet var blitt lastet om i noen små fiskerbåter – og derfra over til England.

Men det er bare én episode. Han oplevde mange.

Og viktigere enn alt det der:

Det var i disse årene han for alvor forvandlet sig fra å være ungdommens sanger til å bli hele folkets frihetsdikter.

Alt han har skrevet, helt fra den tidligste tid, vidner om hans store, sjeldne talent. Men det er ikke alt som er like fullbårent.

124

Det henger sammen med noe av det vesentligste og verdifulleste ved ham – selve kraften, og den sterke strømmen i ham som alltid drev ham videre. Han var alltid intenst optatt av det han skrev på mens han satt midt oppi det. Men det hendte at strømmen kom med sitt krav: Videre! Videre! allerede før han var helt ferdig med det han arbeidet på. Den siste, rensende og foredlende gjennemarbeidelsen rakk han av den grunn ikke alltid å gi tingene sine. Intet av det han gjorde var i hans egne øine noe definitivt. Det var stadier, han skulde lenger. Da han hadde utgitt «Skibet går videre», kom en venn opom til ham i Tidens Tegn en dag, og kunde fortelle ham at boken hans var kommet i nytt oplag. «Fint!» sa han – og skrev videre på den artikkelen han nettop holdt på med. Det var ikke rastløshet det der, det var kraft, energi, overskudd, glede over livet. Det var en lykkelig kombinasjon av egenskaper.

Bøkene lå bak ham som stadier på veien. Men han var glad i disse stadiene, og vedstod sig dem. Blev hans arbeide angrepet, så led han ikke under den tvesynte tvangstanken, at angriperen kanskje hadde rett – da forsvarte han sitt verk like hett og voldsomt som en mor forsvarer ungene sine.

Ser en på hans samlede produksjon, så kan en lett se at han som andre hadde sine gode og sine dårlige år. Men alt i alt viser det sig en sikker stigning. Og høiest, uten sammenligning høiest, nådde han i de siste årene, efter 9. april 1940. I disse årene har hans dikterevne foldet sig ut som aldri før. Jeg er tilbøielig til å si: For første gang har den foldet sig *fullkomment* ut, på en måte som helt svarte til dybden og kraften i hans talent.

Mange av diktene hans fra denne tiden er allerede blitt hele det norske folks eiendom. Dikt som *«17. mai 1940»*, *«Eidsvoll og Norge»*, *«Godt år for Norge»*, og mange, mange fler, det er norsk nasjonal diktning i den høieste og edleste betydning av ordet. I disse diktene har alle hans evner samlet sig til et lykkelig møte. De er uten hat og uten skryt, disse diktene, de er samlende i sitt syn, de er ypperlige kunstverker og de gir et uttømmende uttrykk for norsk følelse.

Det er ikke mulig å tenke sig en fremtid hvor nordmennene er så forandret at de ikke blir grepet av Nordahl Griegs frihetsdikt. De utgjør en vesentlig del av den vinning som krigen *også* har betydd for oss. De er og de blir en viktig del av den norske åndelige nasjonalformue.

De spredte tingene jeg her har kommet med, skal ikke opfattes som noen vurdering av Nordahl Griegs dikteriske innsats. En sånn vurdering tåler å vente. Innsatsen var stor, men den blev ikke fullført. En må ha kjent ham for å kunne ha en anelse om hvor meget av sitt ærende han enda ikke hadde rukket å utføre.

Jeg tar ikke i betenkning å si, at når hensyn blir tatt til de samlede evner, og til evnenes innbyrdes harmoni, så var han det rikest utstyrte menneske jeg noen gang har møtt.

Bare to ganger før i vår nyere historie – hos Wergeland og hos Bjørnson – har vi sett en slik lykkelig forening av evnen til diktning og evnen til handling.

En lykkelig forening. I handling realiserte Nordahl Grieg mange av sine dikterdrømmer, og hans oplevelser i handlingens verden gav ham ny innsikt, som atter kom hans diktning til gode.

Nettop i disse siste årene hadde han oplevd mengder som han ennå ikke hadde rukket å fortelle oss noe om.

«Du vet, jeg er så overfladisk!» sa han en gang med et muntert smil. «Jeg er ikke psykolog vet du, – det er vedtatt i akvariet.»

Han kunde ikke fordra den utførlige, psykologiske analysen i bokform. Den stred mot hele hans fornemmelse. Samtidig var han en av de beste menneskekjennere jeg noen gang har møtt. Han hadde sin iakttagelsesevne med sig overalt, han interesserte sig til alle døgnets tider for sine medmennesker, og hadde overskudd av fantasi til overs for dem. I omgang med folk kunde han legge for dagen den overmåte sjeldne art av høflighet som indirekte fortalte at han hadde forstått dette mennesket, at han likte det, at han husket dets eiendommeligheter og visste nøiaktig hvilken liten imøtekommenhet som særlig vilde glede nettop ham eller henne. Han kunde være mindre behagelig også – han likte jo slett ikke alle, og det var ham ikke om å gjøre å bli likt av alle.

126

Alt i alt – jeg tror ikke jeg noen gang har støtt på en mann som var rikere utstyrt med den sjeldne evnen, å kunne omgåes mennesker, og samtidig være *fri* i forhold til dem. Hans muntlige talent var fenomenalt. Hans humoristiske sans var ikke til å stå for. I samtaler kunde han utfolde en fantastisk sprogets prakt. Han kunde rive én med som en foss river med.

Kraften i ham, og charmen ved ham gjorde at han sikkert kunde vinne omtrent hvem han vilde. Jeg vet ikke om han noen sinne spesielt *vilde*. Hvad jeg vet er at en mengde mennesker følte sig knyttet til ham, bundet til ham. Han kunde ikke undgå å vite det selv. Men hvis han utnyttet denne evnen noen gang, og *brukte* mennesker, så gjorde han det alltid på en slik måte at de han brukte selv hadde glede og utbytte av å bli brukt.

Han var en født fører, men utnyttet lite av den evnen. En fører må binde og atter binde, og blir derved selv bundet, enten han vil det eller ei. Nordahl Grieg vilde være fri, han hadde en veldig glede av selve friheten, og undte sine medmennesker den samme gleden.

Han var en av de store fuglene i norsk diktning, i norsk åndsliv. Livet blir tommere, selve luften omkring oss blir tommere, nå da han er borte.

Norsk litteratur under okkupasjonen

Trykt i Bonniers Litterära Magasin juni 1945

Vi har i Oslo et meget fint videnskapelig institutt med et langt navn. Det heter «Instituttet for Sammenlignende Kulturforskning». Efter avtale fra før 9. april 1940 skulde dette instituttet i tiden like efterpå hatt besøk av en svensk professor. Arrangementet bortfalt selvfølgelig, og instituttets sekretær gikk ned for å telegrafere avbud. Men telegrafbygningen var okkupert av tyskerne, og sekretæren – det var en dame – fikk beskjed om at bare viktige forretningstelegrammer og telegrammer av offentlig interesse blev tillatt sendt. *Hennes* telegram kunde ikke sendes. Imidlertid: sekretæren var som sagt en dame – hun er nå i Sverige – og norske kvinner lar sig ikke uten videre stanse. Hun forlangte foretrede for vakthavende offiser og krevde telegrammet sendt – «Instituttet for Sammenlignende Kulturforskning» måtte opfattes som en offentlig institusjon. Hvortil offiseren svarte: *«Nein! Das geht nicht. Denn jetzt ist Krieg, und Kultur ist eine Privatsache.»*

Nå efterpå kan vi se: Om tyskerne i Norge hadde nøiet sig med å følge denne regelen, da hadde de vært kloke; men da hadde de heller ikke vært tyskere.

Meget kan imidlertid tyde på, at de hadde tenkt sig noe slikt til å begynne med. Det skjedde ingen momentan undertrykkelse av norsk litteratur. Noen av tyskerne elsket kanskje denne litteraturen på sin måte, og ønsket at den skulde blomstre. Men den hadde å blomstre på rette måten – selvfølgelig – efter reglementet.

Litt efter litt gikk det da som det måtte gå. Arrestasjoner kom. Beslagleggelser kom. Censuren blev gradvis skjerpet, i litteraturen som i pressen. De to ledende forlagene, Gyldendal og Aschehoug, blev nazifisert, Gyldendal våren 1942, Aschehoug i litt lempeligere form våren 1943; norske forfattere gikk i streik, o.s.v. o.s.v. Gradvis opstod det på denne måten en hundre prosents kampsituasjon mellem norsk litteratur og tysk okkupasjonsmakt. Innen krigen var over, var en rekke av våre ledende forfattere og forleggere blitt kjent med tysk fengsel og konsentrasjonsleir. De siste to årene utkom det ingen norsk skjønnlitteratur; tilslutt dannet hele åndslivet en eneste sammenhengende frontlinje, en del av den felles front. Det gikk efterhånden op for alle, for kunstnerne som for publikum, at den som i slike tider søker å leve efter den regel at kunst er hevet over politikk, han tjener *fiendens* politikk.

I sin tale ved gjenåpningen av Nationaltheatret i Oslo brukte direktør Grieg det uttrykk at norsk teater var en skanse som blev holdt ved at den blev forlatt. Det samme gjelder om norsk litteratur under okkupasjonen.

Som sagt: Mange ting kan tyde på, at denne utviklingen for en stor del har funnet sted i kraft av tingenes egen logikk, på tross av en bedre innsikt og et annet ønske hos deler av okkupasjonsmakten.

Men det finnes ting som er sterkere enn forstanden. For eksempel eksersis, *drill*, når den er blitt til en annen natur.

La mig fortelle en liten historie fra konsentrasjonsleiren på Grini.

Våren 1942 blev det innført rang-orden og hilseplikt blandt de norske fangene på Grini. Fangene fikk sydd tverrstriper på ermene som viste rangen. Den fineste fangen fikk fire tverrstriper, og alle de andre hadde hilseplikt overfor ham. De nest fineste fikk tre striper, de hadde hilseplikt overfor de fire stripene, og skulde selv hilses på av alle som hadde to, en eller ingen striper. Enhver «overordnet» fange skulde påse at de «underordnede» hilste, og hadde å melde forsømmelser til de tyske vaktene.

Men så kom det inn en rekke tyske soldater som fanger. Det var vanlige kriminelle, som tyskerne kaller dem, folk som hadde stjålet, som hadde vært beruset i tjenesten, o.s.v. De fikk en stripe langsefter ermet, og overfor *disse* fangene hadde alle de norske fangene hilseplikt.

Jeg har snakket om dette reglementet med en mann som kjenner

129

tyskerne svært godt; og han mente, at disse reglene blev ikke, som man skulde tro, innført for å sjikanere de norske fangene. Jo, selvfølgelig – hilseplikten overfor de tyske fangene var en slik sjikane. Men resten? Resten var innført, mente han, *fordi tyskerne ikke kunde tenke sig et ordnet samfund uten hilseplikt.*

Det er meget mulig, at okkupasjonsmakten i det lange løp rett og slett ikke kunde hindre sig selv i å kreve hilseplikt av den norske litteratur.

Gode diktere aner mangt og meget som de ikke kan vite noe sikkert om.

Hos de helt gode dikterne finner vi nær sagt allting forutsagt.

Gustav Fröding har skrevet et dikt som heter: *Ett gamallt bergtroll.* Der har han punkt for punkt forutsagt okkupasjonsmaktens forhold til åndslivet i Norge.

Bergtrollet er som vi husker forelsket i en ung pike nede i dalen:

> Jag ville klapp'na och kyss'na
> fast jag har allt en för ful trut,
> jag ville vagg'na och vyss'na
> och säga: tu lu, lilla sötsnut.

> Och i en säck vill jag stopp'na
> och ta'na med hem til julmat,
> och se'n så äter jag opp'na
> fint lagad på guldfat.

Det kom aldri *så* langt mellem okkupasjonsmakten og norsk åndsliv. Må det være tillatt å citere siste verset også. Det er, om jeg så må si, helt up to date:

> Men nog så vill en väl gråta
> när en är ensam och ond och dum,
> fast litet lär det väl båta,
> jag får väl allt drumla hem nu, hum hum.

Arresteringen av norske forfattere begynte med at Ronald Fangen blev fengslet høsten 1940. Hovedårsaken til fengslingen var en dristig artikkel om Fichte i «For Kirke og Kultur». Han satt inne i henimot et år.

Den neste som blev tatt, var Øverland; i juni 1941. Beslagleggelsen av bøker begynte våren 1941. (Bortsett fra bøkene i *Tiden*, Arbeiderpartiets forlag. De blev tatt allerede 1940.) Begynnelsen var nokså beskjeden. Det kom en liste på ca. 200 bøker, norske og utenlandske i norsk oversettelse, som var forbudt. Politi møtte op hos forleggerne og bokhandlerne, de forbudte bøkene måtte pakkes ned og legges vekk. Men politiet tok dem ikke med sig.

Siden kom det tilleggslister flere ganger. Og til slutt kom selve hovedlisten. Efter alt å dømme var den en direkte oversettelse av den tilsvarende listen for Tyskland. Et stort antall av bøkene i listen var nemlig totalt ukjent i Norge. Denne listen var et helt verk – 28 foliosider i maskinskrift med ca. 40 linjer på siden. Og hver linje var ganske innholdsrik. En linje lød f.eks.:

Alt av og om Heinrich Heine.

En annen: Alt av og om N. Lenin.

En tredje: Alt av og om Maxim Gorki.

En fjerde: Alt av og om Karl Marx.

En femte: Alt av og om Upton Sinclair.

I dagene like efterat denne siste store listen var sendt ut, var jeg innom Universitetsbiblioteket i Oslo. Jeg trengte noen bøker til et lite arbeide om amerikansk litteratur.

Jeg sendte inn en ønskeliste.

På innsiden av disken lå listene over forbudte bøker. For hver bok jeg bad om, slo bibliotekaren op i listene og krysset av, hvis den forlangte boken stod der.

Jeg hadde bedt om femten bøker.

Jeg fikk ingen. Ni var forbudt, tre manglet i biblioteket og tre var utlånt.

Selvfølgelig utspant det sig enkelte tragi-komiske episoder i forbindelse med denne beslagleggelsen. Episoder som røbet visse huller i den tyske organisasjonen.

På den første listen, som ennå var nokså oversiktlig, stod opført *Ludwig Lewisohn* (amerikaner og jøde) med den store roman *Herbert Crumps ekteskap.*

En ukes tid efter skrev litteraturkritikeren i nazistenes hovedorgan *Fritt Folk* følgende, – i en omtale av en helt annen bok:

La mig i denne forbindelse atter få minne om Lewisohn: Herbert Crumps ekteskap, denne uforlignelige roman, som alle mennesker burde lese.

I det foregående har vi til en viss grad foregrepet utviklingen.

Hvis vi vender tilbake til utgangspunktet – situasjonen frem gjennem året 1940 – så må det gjentas, at vi skjønnlitterære forfattere i det året merket forholdsvis lite til censur og tvang. Vi blev til og med opfordret til å skrive.

Det var som om våre nye herrer vilde si til hver enkelt av oss:

Vi har okkupert ditt land, brent byer og gårder, jaget din konge og regjering i landflyktighet, etablert Gestapo i Stortinget, kneblet pressen, overtatt styre og stell i Norge, og forlanger at hver enkelt nordmann opfører sig lojalt mot den nye tingenes orden. Bortsett fra disse bagateller, kjære forfatter, har du din fulle frihet. Skriv!

Fra okkupasjonsmaktens side var det god mening i denne opfordringen.

Det hører visst til grunnreglene for enhver erobrer, at det erobrede folket så vidt mulig bør skaffes to ting: *Brød* og *cirkus*. Og skjønnlitteraturen er – tilstrekkelig kynisk betraktet – en del av cirkus.

Hvordan opførte så de norske forfatterne sig i denne situasjonen?

Noen ganske få gikk hen og blev nazister. Langt færre enn vi hadde fryktet. Vi *hadde* fryktet, nemlig.

La mig her minne om en liten historie, som er vel kjent i Norge.

En av naziministrene, Lippestad, holdt mønstring i sitt departement da han tiltrådte. Han bad nazistene tre frem. Ingen trådte frem. Da blev ministeren så irritert, at han rett og slett sa høit det han tenkte. Han sa:

Men finnes det da ingen misfornøide og forbigåtte i dette departement?

Det fantes mange misfornøide og mange forbigåtte i forfatternes brokete skare. Husk – de fleste av oss er genier; men hvor mange blandt kritikerne og publikum er egentlig opmerksom på det? Vi var lettet, da det viste sig at av Norges ca. 200 forfattere var det bare godt og vel 10 som gikk hen og blev nazister. Og bortsett fra Hamsun var det sånne forfattere, at vi av hjertet kunde si: Lykke på reisen! Over 90 prosent av de norske forfatterne nektet å bøie sig for nazismen. For øvrig representerte de alle politiske opfatninger og alle grader av resignasjon, protest og oprør.

De skrev – om ikke nettop på kommando.

Det utkom ganske mange norske bøker både i 1940 og 41. Men det kom meget få bøker som vil leve i eftertiden. Forfatterens hjerte var andre steder.

I noen av disse bøkene stod det en del ting mellem linjene. Både journalister og forfattere fikk lære sig den kunsten i tiden – hvis de overhodet vilde ha noe sagt offentlig.

En virtuos i kunsten å skrive mellem linjene bør nevnes foran de andre. Det er Johan Borgen.

I en så ekstraordinær tid er det slett ikke på forhånd gitt at den viktigste litteraturen utkommer høitidelig mellem to permer.

Den kan for eksempel komme i form av et hemmelig foredrag; eller i form av et lite dikt, som ikke blir trykt, men skrevet av og atter skrevet av, inntil tusener har lest det.

Eller den kan komme som små uskyldige petitartikler i en avis.

Den største litterære bedrift i okkupasjonens Norge blev kanskje utført av professor Francis Bull. I de 3 1/2 år han satt som fange på Grini, holdt han ca. 1300 foredrag. De aller fleste av disse foredragene måtte holdes hemmelig.

Johan Borgen skrev petit-artikler.

Han har skrevet andre ting også – romaner, noveller, skuespill. Ypperlige ting. Men for det store publikum var han best kjent som

133

Mumle Gåsegg. Under det merket hadde han i mange år skrevet sin daglige petitartikkel i Dagbladet.

På åndslivets område skal man vokte sig vel for å utnevne noen til verdensmester. Det bør altså ikke hevdes at Mumle Gåsegg var verdens beste petit-journalist; men det kan sies, uten noen som helst tvil, at han ikke hadde sin like. *Maken* hans fantes ikke. Han lignet ingen andre; og hvad mere var – han lot sig ikke efterligne.

Lenge før 9. april 1940 var det blitt slik, at tusenvis – jeg tror: det store flertall – av Dagbladets lesere, de slo op på side 3 og leste Mumle Gåsegg før de leste nyhetene.

Efter 9. april blev dette kanskje anderledes – nyhetene hadde fått en særegen interesse – men Mumle Gåsegg blev *grundigere* lest enn noensinne.

I hans artikler stod ofte de frekkeste, de utroligste ting. Men de kunde ikke anholdes. *Mellem* linjene? Det var finere enn som så. Gestapo kunde se med lupe mellem linjene uten å finne noe: og allikevel stod det der – i, over, under linjene, i luften omkring selve artikkelen.

En artikkel kunde fortelle om den første blåveis. Der stod bare noe om den første blåveis. Men samtidig stod det: Vinteren er omme, håpet gror!

En annen artikkel kunde handle om folk som går til kontoret om morgenen – de kjenner ikke hverandre, men føler allikevel noe ved å se hverandre. Og tonen i artikkelen sa det som skulde sies: idag er vi alle brødre.

Intet av dette var til å gripe for en utlending, som regel ikke til å fatte for en nazistisk norsk politikonstabel heller. Men det stod der, dag efter dag, fra april 1940 til september 1941.

Jeg sa *dag efter dag.* Men dette betyr ikke at hver eneste artikkel hadde sin lumske politiske mening. Av og til – kanskje hver tredje dag – stod det virkelig uskyldige petit-artikler undertegnet Mumle Gåsegg. Og mens Gestapo eller hvem det nå kunde være, studerte sig grå i håret på hvor nå understrømmen gikk der, så kom neste artikkel – hvor der *var* understrøm.

Omsider, september 1941, slo Gestapo til, og i de følgende måneder fikk Johan Borgen anledning til å sitte på Grini og gruble over sine synder.

Vi går ingens ære for nær, om vi sier at Nordahl Griegs og Arnulf Øverlands vers – som blev spredt illegalt og hemmelig – har betydd uendelig meget mere for det norske folk i okkupasjonsårene enn alle de norske diktsamlinger, romaner, noveller og skuespill tilsammen som utkom offentlig i denne tiden.

Hvis vi vil være helt nøiaktige, må vi forresten tilføie: det er ikke versene alene som har hatt denne betydningen; det er den høiere enhet som utgjøres av disse to menns diktning og deres skjebne. Arnulf Øverland og Nordahl Grieg var så forskjellige som natt og dag. Ibsen og Bjørnson i sin tid, Fröding og Heidenstam i sin, var ikke mere forskjellige. Men de møttes i en ting, i kjærligheten til Norge. Og da ulykken kom, møttes de i sitt arbeide. Tonefallet i deres vers var fremdeles forskjellig, men tanken og følelsen var den samme. De vilde samle folket, de vilde reise folket – i tross og selvfølelse, til motstand og kamp. Og mer enn noen andre skrivende folk som nevnes kan, bidrog de til at dette skjedde. Tidligere hadde de begge, hver på sin måte, skrevet sine navn i norsk litteraturhistorie. I denne tiden skrev de sine navn sammen i Norges historie.

Øverland blev nødtvungent taus fra sommeren 1941. Nordahl Grieg styrtet med et fly over Berlin i desember 1943. Det var et uerstattelig tap for Norge, for fremtidens Norge; men det mål han hadde satt sig med sin krigsdiktning, det var nådd. Norge var samlet som sjelden eller aldri før i sin historie, kampfront var skapt på alle områder, og linjene holdt. Diktene var der; i dem var alt det vesentlige sagt; de var blitt det norske folks eiendom. I den fase kampen på dette tidspunkt var kommet inn i, var det organisasjon, oplysning, våpen og saklige direktiver som først og fremst trengtes. Og de behovene blev gradvis tilfredsstillet.

Arnulf Øverland blev som tidligere nevnt arrestert av Gestapo i juni 1941. Da gestapo-mennene marsjerte inn med ham på Victoria Terrasse, ropte en av dem triumferende: *Hier haben wir einen Volltreffer gemacht!*

Det var sant nok. Men mange undret sig over at det tyske politi ikke hadde laget denne fulltrefferen før. I lang tid hadde Øverlands kamp-dikt, skrevet i den knappe, nakne stilen som ingen kunde ta feil av, vært spredt over landet i tusener av eksemplarer.

Denne arrestasjonen har for øvrig en forhistorie.

På forsommeren 1940 innleverte Øverland en rekke dikt til Arbei-derbladet i Oslo. Diktene blev derfra sendt til den tyske censuren, som med fin takt hadde etablert sig i Stortinget. På dette tidspunkt arbeidet tyskerne ennå efter den regelen, at norsk kultur mest mulig skulde være en privatsak. Den tyske censoren erklærte at diktene var ypper-lige, og at de kunde trykkes – om Øverland bare vilde være så vennlig å forandre et par linjer et par steder.

Øverland svarte, sin natur og vane tro:

Hvad jeg skrev, det skrev jeg.

Diktene blev ikke trykt – offentlig. Isteden begynte de å cirkulere fra mann til mann. De utgjorde grunnstammen i de diktene han blev arre-stert for året efter. Siden var han fange, dels på Møllergaten 19, dels på Grini, og fra våren 1942 til få uker før krigens slutt i konsentrasjonsleir i Tyskland. Han hørte til de fanger som blev befridd ved grev Folke Berna-dottes aksjon. Han skrev dikt i fengslet, både i Norge og Tyskland. De er bevart; men de kunde ikke sendes ut; det vilde vært den visse død. Sti-len var for kjent, til og med nazistene vilde ha kjent igjen den.

Nordahl Griegs liv under krigen har det eventyrlige over sig som hadde preget så meget også av hans tidligere liv. Han reiste fra Oslo den 10. april 1940 – visstnok med den siste bussen som gikk over Kroksko-gen til Ringerike, til de norske styrkene der. Han var med og fraktet Norges Banks gull gjennem landet til Molde og videre sjøveien op til Tromsø. Han fulgte Kongen og regjeringen til England og var rastløst virksom der borte – blev utdannet til offiser, holdt taler, skrev dikt, deltok i flytokter over Atlanterhavet og Nordsjøen og langs Norges kyst. Diktene hans blev lest av ham selv i norsk radio fra London, de blev sluppet ned fra fly over Norge, de blev båret inn av hemmelige kurerer fra Sverige, de blev spredt land og strand rundt på samme måten som Øverlands vers. Nytt arbeide ventet ham. Det var avtalen at flyturen over Berlin skulde være hans siste. Den blev det på en annen måte enn tenkt.

Det er skrevet ypperlige kampdikt av andre norske diktere enn Grieg og Øverland. Det er nok å nevne to navn: Gunnar Reiss-Andersen og Inger Hagerup. De to reddet sig over til Sverige og undgikk derved Øverlands skjebne. Det er skrevet dikt av mange andre – i en slik tid opstår det uvilkårlig lyrikk. Om mange av disse diktene gjelder det vel, at de bekrefter den gamle regelen: edle følelser alene gjør det visselig ikke. Hvor meget av denne diktningen som vil leve i årene fremover, kan bare tiden vise.

Norsk litteraturs holdning i denne tiden har alt i alt vært slik at vi kan være bekjent av den. En ikke uvesentlig del av æren for det vil vi gjerne tildele oss selv, som allerede antydet. Annet vilde vel heller ikke være menneskelig. Men noe av æren må vi faktisk gi til nazistene og Gestapo.

Fengslingene, grusomhetene, terroren er et kapitel for sig. Disse tingene øket med en naturlovs nødvendighet den norske motstanden.

Dumheten og uvitenheten er et annet kapitel. Regelmessig optrådte Gestapo som den kjente oksen i porselensbutikken.

Våren 1940 trykte en Bergens-avis op et dikt av Per Sivle. Gestapo blev rasende og fór byen rundt for å arrestere Sivle. Dikteren må ha gledet sig i sin grav, der han hadde ligget en menneskealder.

Da det tyske politi kom og beslagla alle bøkene i Tiden norsk forlag, fant de blant annet en rekke bøker av Maxim Gorki. Lederen spurte: Hvor bor han?

Et annet sted fant de en bok av Dostojevski. De var ikke riktig sikre på om den burde beslaglegges. Men en kyndig mann blant dem avgjorde saken: Jo visst, det er jo han med fredsprisen!

Da Arnulf Øverland blev innkalt til forhør første gang – det var et års tid før han blev arrestert for alvor – forlangte gestapomannen at han skulde forfatte en levnetsbeskrivelse. Han blev skysset inn i et sideværelse. Men stadig stakk tyskeren hodet inn: Na! Schreiben Sie! Schneller! Schneller!

Øverland sa siden, på sin langsomme måte:

– Jeg opfattet ham derhen at han syntes jeg hadde skrevet for lite.

Hvorefter han skrev en del dikt til.

Da Gyldendal var blitt nazifisert, la de to nye direktørene for dagen at de iallfall hadde ett sundt instinkt i behold – de kunde ikke fordra nazi-dikteren Finn Halvorsen. Da en av funksjonærene kom og meldte sig syk, tigget og bad de ham: De må ikke bli borte! For da får vi et kontor ledig, og dermed har vi Finn Halvorsen her!

De fikk allikevel Halvorsen.

De to direktørene følte sig hele tiden ille til mote. De følte at de ikke hørte hjemme der. Det tok ganske lang tid før noen av dem fikk sig til å sette sig ved direktør Griegs skrivebord. Men en gang skulde de nødvendigvis ha skrevet et brev, og en av dem stakk hodet ut i forværelset og sa, litt forsagt:

Frøken – kunde De komme inn og ta et diktat?

Den unge damen svarte frekt:

– Ja, når jeg er ferdig med dette her!

«Dette her» var en illegal avis hun holdt på å skrive av.

En nordmann i Oslo holdt på med et arbeide og trengte et eksemplar av en bok som var utkommet hos Gyldendal – *Norge vårt land* heter boken. Han hadde ikke lyst til å gå op i huset og skrev isteden et brev. Han fikk et høitidelig svar, underskrevet av den ene av direktørene, at dessverre var boken totalt utsolgt. Dagen efter møtte han en av de norske funksjonærene som nødtvungent fremdeles arbeidet på forlaget.

Det var synd at *Norge vårt land* var utsolgt, sa han, – jeg skulde så nødvendig hatt et eksemplar.

– Å, var det Dem! sa mannen fra Gyldendal. – De skal få et eksemplar i morgen.

Det vrimler av slike og lignende anekdoter fra okkupasjonstidens

138

Norge. De ovenfor nevnte bygger på fakta. Det finnes hundrer av andre, som er mer eller mindre diktning – folkediktning. De bidrog til å holde humøret oppe i en vanskelig tid.

Hvordan står så norsk diktning efter disse årene? Hvordan fordeler det sig med vinning og tap?

Vi har tilsynelatende mistet noen år. Selvsagt er det blitt skrevet en hel del. Nedgravde manuskripter kommer frem i dagen nå.

Men når jeg personlig tror at norsk diktning vil få en storhetstid i årene som kommer, da er det ikke først og fremst disse nedgravde tingene jeg tenker på.

De fleste av oss har ikke fått tid, ikke ro, ikke pust i denne tiden til å forme det som tiden har lært oss.

Det tåler å vente. Det kommer.

Diktningen – den centrale diktningen, den som betyr noe i folkenes åndelige liv – den betyr til gjengjeld overmåte meget, og på overmåte mange områder.

Diktningen åpner menneskenes øine for det som er vakkert.

Den lærer dem avsky for det avskyelige og tro på det verdifulle – selv om det avskyelige brer sig i maktens sete og det verdifulle er trampet i støvet.

Den viser de nærsynte og bekymrede forskjellen mellem vesentlige og uvesentlige ting her i livet.

Den lærer menneskene å kjempe for retten og hate uretten.

I denne tiden har hele det norske folk – eller store deler av det – lært, oplevd, erfart alt dette, på egen hånd. Har lært det på kroppen, erfart det gjennem blod, svette og tårer, sterkere, hårdere enn noen gang før i sin historie. Har lært den elementære forskjell på godt og ondt, stygt og vakkert, avskyelig og verdifullt, rett og urett. Selve grunnverdiene er blitt det norske folks bevisste eiendom på en måte som neppe noen gang før.

Men om grunnverdiene er blitt klare for mange, så er ikke diktningen dermed blitt overflødig. Den blir aldri overflødig. Det opstår alltid nye situasjoner, og den kraft som diktningen utgjør, vil stadig trenges – jeg hadde nær sagt: til å banke inn i folk, men jeg mener: til

139

å liste inn i folk, synge inn i folk, lyne og tordne inn i folk en stadig sikrere innsikt i de egentlige livsverdiene.

Diktningen blir aldri overflødig. Men hvis det er sant, at sterke oplevelser gir øket erkjennelse, da kan norsk diktning i den kommende tid spare sig en hel del banale forklaringer. Og hvis det videre er sant, at slike sterke oplevelser undertiden gjør folk til diktere, så er der opstått nye norske diktere i denne tiden.

Med andre ord: Vi skal ikke være altfor sikre på at det er de gode gamle kjente navnene som først og fremst skal bære norsk diktning videre i tiden som kommer.

Kanskje kommer det beste av det nye fra folk som idag er helt anonyme. Fra en ung mann som har ligget på skogen, eller fra en ung pike som har sett faren og moren bli ført bort til en ukjent skjebne.

Om alt dette vet vi intet. Men det er et par ting vi vet.

Den norske diktning kommer til å ta aktiv del i det vi kaller gjenopbyggingen av Norge.

Positivt arbeide, som det heter.

Men vi vil allerede nu be om, at dette uttrykket ikke blir opfattet altfor snevert.

Menneskene har ofte bygget sine hus på sand. Og når huset var blitt riktig stort og riktig praktfullt og tungt, så styrtet det sammen, og mange mennesker omkom i fallet. Vi har sett eksempler på det.

Noen av oss kommer forhåpentlig i slike tilfeller til å si fra: Det huset bygges på sand. Vi ber folk tenke sig om før de kaller slike diktere for negative.

Når uretten bygger sig nye tårn – hvad den sikkert kommer til å gjøre – så vil vi gjerne få hjelpe til med å rive det tårnet ned. Vi kaller det opbyggende arbeide.

Når narrer blåser sig op og forlanger å dyrkes som helter, kall da ikke den dikteren negativ, som klær av narren den forlorne heltedrakten.

Vi vil gjerne ha kalt det arbeidet positivt, som i en samlet sum går ut på øket sannhets erkjennelse, virkelighets erkjennelse, verdiers erkjennelse. Likegyldig om arbeidet foregår i kunst, i videnskap eller på andre områder. Og i det arbeidet vil vi gjerne være med.

Enda et par ord, nu tilslutt, om det ukjente og allikevel på en underlig måte kjente – norsk diktnings fremtid.

I sitt dikt *17de mai 1940* skriver Nordahl Grieg:

> Idag står flaggstangen naken
> blant Eidsvolls grønnende trær.
> Men nettopp i denne timen
> vet vi fra frihet er.

I de siste årene har nordmennene oplevd friheten slik som bare mannen bak gitteret kan opleve den – i erindring, i lengsel, i en beslutning som går inn til margen i oss. Vi vet det nu, klarere og sterkere enn noen gang før:

Hvis historien har en mening, hvis utviklingen har en mening, hvis menneskenes kultur og sivilisasjon har en mening, så må det være den: Å frembringe det frie menneske, medlem av et fritt samfund.

I arbeidet mot det målet har norsk diktning alltid tatt del.

I det arbeidet vet vi at norsk diktning efter krigen og okkupasjonen atter vil ta del, ivrigere, sterkere enn før – klok av bitter erfaring, men ikke så klok, at den har mistet evnen til begeistring og harme, evnen til oprør mot urett og tross mot tyranner.

Jeanne d'Arc

1926

Bernard Shaw har skrevet et drama om Jeanne d'Arc. Og uten å være spåmann er det lett å forutsi én ting: i tiden fremover vil mange av de mennesker som har sett dette skuespillet, bli gående og tenke, ikke på Shaws stykke, ikke på en mere eller mindre vellykket forestilling, men på problemet: hvem var egentlig Jeanne d'Arc? For over den franske bondepikens personlighet og skjebne er der for et nutidsmenneske noe så ufattelig, noe så på siden av all vanlig fornuft, at ingen forklaring og ingen fremstilling, den være aldri så klok, kan virke helt og endelig overbevisende; fantasien vil alltid få en uoppklart rest å leke videre med.

*

De ytre historiske fakta er enkle nok. Jeanne d'Arc er født i 1412 i landsbyen Domremy, og hennes far var en jevn, men forholdsvis velstående bonde. I den tiden hun vokste opp var engelskmennene herrer over store deler av Frankrike, og den franske tronpretendent førte en nokså håpløs kamp mot dem og mot burgunderne. Da kom «Herrens kallelse» til Jeanne. Hun hørte himmelske røster som sa til henne: «Du Guds datter, forlat din landsby og dra til Frankrike,» og «Du Guds datter, du skal føre dauphinen til Reims, for at han der kan motta sin høytidelige innvielse.» Røstene var iherdige, og hun oppdaget snart, at det var St. Catherine, St. Margaret og St. Mikael som snakket til henne. Ivrigst var St. Catherine, som efterhånden ble hennes skytshelgen, var om henne sent og tidlig og ga henne gode råd om allting. Efter St. Catherines råd gikk Jeanne i 1429 til den fransksinnete ridder Baudricourt som var kommandant over byen Vaucouleurs ikke langt fra

142

hjemstedet hennes. Det lyktes henne å overbevise ham om sin guddommelige kallelse (noen mener han ble overbevist om at hun var utsendt av geistligheten), og han førte henne videre til dauphinen. Her ble hun eksaminert av prestene, som endte med å erklære henne for sendt av Gud . . .

St. Catherine hvisket nå Jeanne i øret, at hun skulle befri Orléans, som ble beleiret av engelskmennene. Det lyktes henne å få dauphinen til å sende krigsfolk med henne, og Orléans ble befridd. Dermed gikk hennes ry som Guds sendebud viden om, begeistringen ble vakt, krigslykken snudde seg. Den 17. juli 1429 ble dauphinen (Karl VII) kronet i Reims. Jeanne fortsatte felttoget, men ikke alltid med så ubetinget hell som man kunne vente av et Guds sendebud. Noen ganger var det tydelig at St. Catherine ikke hadde hatt full oversikt over den militære stilling, og ved andre leiligheter ytret den samme helgen seg med en frimodighet og en mangel på respekt for autoritetene som måtte vekke de samme autoriteters dypeste mishag. Da Jeanne ble tatt til fange av burgunderne den 23. mai 1430, vakte dette sikkert mere glede enn sorg ved Karl VII's hoff. Det stedige og brysomme gudsord fra landet hadde aldri vært videre velsett blant hoffmennene, og nå mente de fleste at man ikke lenger hadde bruk for henne.

Burgunderne solgte henne videre til engelskmennene, og i blid forståelse med dem satte de geistlige myndigheter henne under anklage for kjetteri og trolldom. Hun ble dømt til døden og brent på bål i Rouen den 30. mai 1431. Ved sin død var hun 19 år gammel.

I 1450 ble saken gjenopptatt, og under press av folkemeningen og dagens politiske hensyn erklærte en ny geistlig domstol Jeanne for uskyldig dømt. Siden er hun langsomt steget i gradene, inntil hun endelig ble kanonisert som helgen i 1920.

*

Dette er de mest kjente trekk av Jeanne d'Arcs historie. Men allerede disse få fakta reiser en lang rekke spørsmål. Og det som virker forbløffende, ja komplett uforklarlig, er ikke at hun ble anklaget og dømt som heks – det er tvert imot rimelig, når en tar tiden og forholdene med i regnestykket – men det er hele hennes foregående karriere. *Hvordan* kunne slike ting foregå? Hvordan kunne en 17-årig bondepike komme inn og gjøre seg gjeldende ved kongens hoff, hvordan kunne hun – iallfall øyeblikksvis – overbevise alle hun snakket med om sine overnaturlige evner? Hvordan kunne hun klare å vinne sine militære seire, hvordan bar hun, bondepiken, seg ad for å klare det som var mislykket for erfarne feltherrer?

Hvordan hang det sammen med disse røstene hennes? Var hun geni eller gal eller frekk svindlerske? Eller var hun ingen av delene, bare en naiv, naturlig liten bondepike, som trodde at Guds engler flakset omkring henne og snakket med henne? Sto geistligheten bak henne fra begynnelsen av, eller handlet hun på eget initiativ? Kort sagt, hadde hun magiske personlige egenskaper, eller var hun bare et tilfeldig redskap for krefter i tiden?

Utallige historikere og skribenter har forsøkt å besvare disse og flere spørsmål ut fra de mest forskjellige synspunkter; men som oftest har de gode herrer alt i alt gitt et bedre innblikk i sin egen psykologi enn i Jeanne d'Arcs.

Shakespeare har skrevet et smededikt om henne; til hans unnskyldning taler at det kanskje ikke er skrevet av ham. Schiller har hedret henne i et høyttravende skuespill, en svulst på den tyske litteratur; i skjerpende retning må nevnes at det ikke kunne være skrevet av noen annen enn nettopp ham. Voltaire har fortalt om henne i et langt uanstendig dikt med den anstendige hensikt å forarge geistligheten. Mark Twain har skrevet en avhandling om henne som er mere protestantisk enn humoristisk. Anatole France har behandlet henne i et lærd to binds verk, der han prøver å bevise at hun bare var et redskap i kirkens hånd, og at hennes personlige innsats var forsvinnende; Orléans som hun befridde var ikke ordentlig beleiret, veien til Reims lå så godt som åpen, osv. Som bekjent kan man også, om man har lyst til det, bevise at Columbus var en ganske alminnelig skipper, det var jo ingen sak å oppdage Amerika, han bare gikk ombord på en skute og seilte rett mot vest til han støtte på land.

144

Som foreløbig siste ord i debatten om Jeanne d'Arc kommer Bernard Shaws innlegg. Og det er grundig. For det er gått ham som vanlig: da han var ferdig med å skrive skuespillet sitt om Jeanne d'Arc, hadde han dampen oppe, og så skrev han like godt et forord så langt som en roman.

Bernard Shaws meninger tynges ikke av overdreven respekt for andres oppfatning og innsats. Det som tidligere er skrevet om jomfruen fra Orléans ser han nærmest som et arsenal av alle eftertidens fordommer. Om seg selv mener han at han står relativt fordomsfritt overfor den unge piken. Og sympatisk innstilt. Han er protestantisk oppdratt, og har følgelig katolske sympatier, og som engelsk statsborger har han all grunn til å føle seg tiltalt av det franske standpunkt. Han er irlender, med andre ord.

Videre: som en mann med usedvanlige logiske evner føler han seg imponert av Jeannes ulogiske, men intuitivt sikre fornuft. Som moderne, vitenskapelig trenet hjerne føler han den dypeste respekt for hennes naivitet og sterke tro, og som en intim kjenner av nutidens sivilisasjon nærer han den sterkeste beundring for middelalderens dype kultur.

Kort sagt, han står overfor problemet Jeanne d'Arc uten en eneste fordom – unntatt kanskje en bitte liten en, noe rent forsvinnende: en viss, ganske svak, ganske uvesentlig, men aldeles uimotståelig lyst til å si ting som får folk til å falle på ryggen av forbauselse.

*

Først må vi da gjøre oss klart, at det var intet som helst mystisk ved Jeanne. Hun var en usedvanlig forstandig ung pike med en sjelden vitalitet, det er det hele. Det er hennes sunne fornuft som forekommer alle fehodene så mystisk.

Dernest bør vi innrømme at «røstene» beviser hverken at hun var geni eller gal, de forteller oss bare at hun hadde en livlig fantasi, som alle kloke folk, bare litt livligere enn vanlig. Også i våre dager kan fantasifulle mennesker høre røster og se syner, forskjellen er bare at nå

145

oppfatter man det oftest som det det er, nemlig hallusinasjoner, iallfall ved høylys dag.

Om natten vandrer ennå St. Catherine og hennes slektninger omkring. Om natten er det gjerne at kvinner står opp og stikker kniven i mann og barn, fordi en røst har befalt dem å gjøre det. Når disse kvinnene kommer for retten, blir de som regel oppfattet som sinnssyke, og sendt på asyl. Men, sier Shaw, derav følger slett ikke at Jeanne var noen asylkandidat. Tvert imot, det vi må spørre om, er ikke *hvordan* et menneske får en innskytelse, men om innskytelsen er fornuftig. Newton fant gravitasjonsloven ved å se et eple falle til jorden. Hadde han hatt litt større synsfantasi, ville han ha sett Pythagoras stå og slippe eplet, og han ville ikke ha vært mindre klok for det . . .

Jeannes innskytelser var fornuftige, St. Catherine hvisket henne nesten alltid kloke ting i øret, ja ting så kloke at Anatole France av den grunn erklærer henne for en gås som gikk i prestenes ledebånd.

Jeanne var en normal, sunn ung pike. Dog, en ting må innrømmes: hun virket efter samtlige vitners utsagn ikke seksuelt dragende på menn, og hun hadde en klar tilbøyelighet for mannlig arbeid og mannlig klededrakt. Det ville være dumt og plumpt om man derav trakk den slutning, at hun på en eller annen måte var pervers. Hun var rett og slett en ung pike hvis hovedinteresse ikke var av erotisk art. Slike unge piker fins faktisk, de er påtruffet av vitenskapen.

Nå til Jeannes skjebne. For oss, som lever i en demokratisk tidsalder full av jernhårde standsfordommer, kan det virke underlig og utrolig at den ulærde bondepiken kunne nå frem til kongen og få kommandoen over hans hær; men da glemmer vi hvor meget fornuftigere middelalderen så på de menneskelige ting; undertrykkelsen var svær, fattigdommen kanskje verre enn nå; men den sosiale mur mellom fattig og rik var mindre; den gang *trodde* de alle sammen, at for Gud var alle like, det var ikke bare noe de lot prestene si om søndagen. Og Gud svevet ganske lavt over jorden den gang, før man visste ordet av det kunne man ha neven hans om ørene.

Så snakket vi visst noe om ufattelig lettroenhet? Så sakte, så sakte. Vi som hopper på alt som en eller annen vitenskapsmann kommer og forteller oss, vi som tror at solen er millioner av mil borte, og at et atom er milliontedelen av en millimeter i tverrsnitt, vi som tror på alt snikksnakk om elektronenes dans i atomet, vi bør ikke smile av middelalderens tro, at englene tok seg en svingom i himmelen . . .

Sier Shaw.

Jeannes rettssak . . . Det har vært god sjargong i all eftertid å snakke om korrupt rettsvesen og grovt justismord i forbindelse med Jeanne d'Arc. Shaw påviser, at visstnok ble hun grusomt behandlet; men sammenlignet med hva moderne dommere tillater seg overfor menn som har gått deres klasseinteresser for nær, opptrådte Jeannes anklagere og dommere rolig og rettsindig. Inkvisisjons-domstolen behandlet Jeanne med mildhet, den pinte henne ikke, den godsnakket med henne, og søkte å overbevise henne om at hennes påstander stred mot kirkens lære og «den sanne kristendom». Hun påsto jo at hun fikk befalinger direkte fra Gud. Innså hun da ikke, at på den måten gikk hun forbi de lovlig innsatte formidlere av Guds vilje, paven og den hellige alminnelige kirke? Det var religiøs selvtekt hun drev, forsto hun ikke det?

De Guds menn argumenterte lenge og tålmodig med henne. Og til slutt lyktes det dem virkelig å få henne til å tvile. St. Catherine hadde jo lovet henne at hun skulle settes fri; men hvor ble det av befrielsen?

Hun avsvor vranglæren sin. Men da hun så erfarte at det ikke hjalp, at hun ikke ville bli satt på frifot, men skulle innesperres for levetiden, da vant hennes sunne fornuft en siste stor seier, hun rev tilbakekallelsen i stykker. St. Catherine hadde rett likevel, heller bålet enn dette her . . .

Shaw forklarer og argumenterer. Og vi tror, vi føler oss overbevist, vi tilhører den lett-troende moderne tid. Men efterpå blir vi likevel sittende der med tvil og spørsmål i sinnet: sytten år gammel, og bondepike, og fører for Frankrikes krigshær – nei, vi fatter det ikke.

Jødene

Norges-Nytt, 6/12-44

I

I løpet av middelalderen blev *djevelens* personlighet fullt utviklet. Det var særlig munker og teologer som, om en så må si, kartla ham. Alle de onde lyster de kjente stige op fra kjelleretasjen i sitt sinn, skrev sig fra djevelen. Derved kunde hans vesen og egenskaper punktvis bestemmes.

Munker og teologer levde i cølibat. Middelalderens djevel blev en grovt vellystig person. I fortettet form samlet han i sig alt det datidens fromme kristne opfattet som nattsiden av sitt vesen.

Middelalderens jøder blev ikke opfattet som djevler nettop. Men de var fremmede, altså farlige; de var *anderledes*, altså onde; de var i mindretall og vergeløse, altså idealet av en syndebukk.

Europa var hjemsøkt av pest-epidemier ut gjennem hele middelalderen. At disse epidemiene bredte sig slik, kom for en stor del av at folk hadde så liten sans for renslighet, så lite greie på personlig hygiene. Brønnen i landsbyen stod på torvet og fikk tilsig fra gjødselhaugene rundt om. Fra brønnen bredte smitten sig. Datidens europeiske jøder var vesentlig det vi kaller vest-jøder, de kom for en stor del fra det mauriske Spania, der kulturen på mange måter var kommet lenger enn i resten av Europa. Jødene visste at det ofte kunde være tryggest å koke drikkevannet. Jødene blev følgelig ikke så ofte smittet av de epidemiske sykdommene. Så opstod myten om at de forgiftet brønnene; og blodige jødeforfølgelser brøt løs.

Der har man i et nøtteskall jødehatets og jødeforfølgelsenes struktur og psykologi.

Nazistene, som på så mange måter gjeninnførte middelalderen (det vil si middelalderens skyggesider), gjeninnførte også antisemittismen. Med de «forbedringer» som tiden gjorde mulig.

I nutiden tror ikke folk så hardt på djevelen lenger. Og det er gått ut over jødene. De har ikke mistet sin rolle som syndebukk, men de har måttet overta djevelens rolle attpå. Den kjente tyske nazist Julius Streicher, redaktøren av *der Stürmer*, er en grov psykopat, han vrir og velter sig i seksuelle fantasier. Men alle de skjenselsgjerninger han selv på denne måten begår i fantasien, beskylder han jødene for å ha gjort i virkeligheten.

En mann som Hitler er mere innviklet. Han har alltid *skildret* jøden som en djevel, men *utnyttet* ham som syndebukk. Hitler kom sig til makten på ulykker (innbilte og virkelige), som gribben eter sig fet på åtsler. Han slo sig op på den tapte krigen; men full fart fikk han først da den store arbeidsløsheten satte inn i 1930. Alle ulykkene – den tapte krigen, Versailles-traktaten, den stigende arbeidsløsheten – fikk jødene skylden for.

Jødene hadde profitert på alt dette, fikk vi vite. Den som virkelig profiterte på det, var Hitler. Han tok for sig av det jødehat som så ofte har stått til reaksjonens tjeneste i Tyskland. Han utnyttet det og øket det, øket det videre og utnyttet det en gang til. I middelalderen skjedde – i mindre målestokk – det samme gang på gang. Fyrster innkalte pengejøder, og lånte penger av dem, til gjelden blev plagsom. Da satte de jødeforfølgelser i gang, drepte jødene og beslagla deres eiendom. Flere fluer i ett smekk. Disse fyrstene hadde en ganske robust forretningssans, får en si.

Det hadde Hitler også. Og han var fullt klar over hvad han gjorde. Han sa til Hermann Rauschning: «Bare vent, skal De få se hvor kort tid vi trenger for å kaste verdens ideer og synspunkter over ende bare ved å angripe jødene . . . Om jødene blev tilintetgjort, måtte man opfinne dem påny.»

Antisemittismen (og antibolsjevismen) førte nazismen langt. En tid så det ut som den skulde nå frem til verdensherredømmet.

Men nå har strømmen snudd. Nazistene har tapt krigen, og de vet det. De klokeste av dem har visst det lenge. Allerede i lang tid har folk som Goebbels vært i sving for å redde hvad reddes kan.

Kan de ikke vinne krigen, så får de forsøke å vinne freden. Ikke med en gang – det går ikke – men i det lange løp.

149

Under det synspunkt bør en se en stor del av den såkalte medliden-hetskampanjen. Under det synspunkt bør en se en enda farligere ting – den fortsatte, ja økende antisemittiske propagandaen. Nazistene selv må gå i dekning, kanskje for en lang rekke år. Det gjelder å forberede den dagen da de kan stå frem igjen og rope: Antisemitter i alle land, gå sammen! Det kan ikke gjentas ofte nok og inntrengende nok: Antisemittismen, det er selve spiren til nazismen.

Om nazi-Tyskland blir slått på alle fronter, om alle de største nazi-lederne begår selvmord eller blir hengt, om Tyskland blir okkupert, dets krigsindustri nedlagt, om alle de okkuperte land blir fri osv., osv., *men* antisemittismen seirer, blir verdensomspennende, sniker sig inn som gift i tenkningen i alle land, *da har nazismen allikevel seiret.* Da har den lurt sig inn bakveien, nettop mens vi som best kastet den ut av hoveddøren. Godtar vi antisemittismen, da godtar vi med det samme de nazistiske raseteorier – teorien om herrefolk og trellefolk, gode og onde raser, «opbyggende» og «opløsende» raser. Da godtar vi teorien om at noen er skapt til å trelle og slite, andre til å føre krig og herske. Da har vi glemt hele den erkjennelsen av menneskets verd uansett fød-sel, hele den opdagelse av *miljøets* betydning, som er demokratienes og fremskrittspartienes største innsats i tankens verden. Godtar vi antise-mittismen, da slipper vi påny middelalderen (i dårlig forstand) inn på livet av oss igjen, med dens djevle-tro og syndebukk-moral; da sperrer vi vårt sinn for det meste av det som heter menneskelig fordragelighet, tro på fremskritt, søking efter sannhet, *sannhets erkjennelse.* Da har vi åpnet døren på vidt gap for all verdens mørkemann-agitasjon. *Da har vi sluppet nazismen inn i huset igjen.*

Sovjet-Russland styres ikke av jøder. Men det styres av folk som vet, at gir man antisemittismen lillefingeren, så tar nazismen snart hele hånden. I Sovjet-Russland er det fengselsstraff for å drive antisemittisk agitasjon.

II

En skulde på forhånd tro, at av alle folk i verden måtte det norske være det som gav dårligst grobunn for antisemittismen. Riktignok har vi en liten flekk i vår historie nettop her. I grunnloven stod det oprinnelig, at jøder og jesuitter skulde være nektet adgang til riket. Henrik Wergelands og mange andre gode menns innsats måtte til før den flekken blev fjernet. Men. Noe virkelig «jødeproblem» har vi aldri hatt. Og nå har vi i snart fem år vært okkupert av nazister, det vil si antisemitter. Vi vet hvad de går for. Vi vet hvad deres ord er verd. Vi kjenner deres «oplysning» og vet hvad *den* er verd.

En av de ting de mest iherdig har søkt å oplyse oss om, er jødenes ondskap og fordervelighet.

Vi vet, at dette jødehatet er en sentral del av hele nazismen. Den ene halvdelen, så å si. Den andre halvdelen er evangeliet om det tyske folk som herrefolket. Vi vet, at jødene er blitt mere forfulgt av de tyske nazister enn alle andre folk tilsammen. Vi vet, at da Quislings aksjer stod særlig lavt i hans herrers øine høsten 1942, da søkte han å få dem til å stige igjen ved å starte jødeforfølgelsene i Norge og ved å sette jødeparagrafen inn igjen i grunnloven.

Alt dette vet vi. Alt dette vet *alle* norske flyktninger.

Så skal vi allikevel opleve, at antisemittismen blusser op hist og her blandt grupper av norske flyktninger i Sverige.

At det har kunnet skje, er en skam, og intet annet enn en skam.

Årsakene er så enkle, at det er rent flaut. På en eller annen forlegning opstår det misnøie med et eller annet. Syndebukker søkes. Jødene er der, og det å være syndebukk er deres gamle rolle. Hviske-kampanjer settes igang. En fjær (og som regel en opfunnet fjær) blir til ti høns. I sin opskremte fantasi ser den ene og den andre snart høns overalt.

Man samler på «fakta». Uheldige eksemplarer finnes det blandt alle folk. Det finnes blandt nordmenn også, men da heter det – og vi håper, med rette: brodne kar i alle land. Men om en uheldig jøde heter det: han er *jøde!*

Til de nordmenn (fordekte nazister og tankeløse eftersnakkere) som driver denne antisemittiske agitasjonen kan det være på tide å si et par ord.

Tro ikke at vi i det lange løp vil finne oss i denne agitasjonen. Tro ikke at vi akter å ta på den med silkehansker heller. Noe har vi lært i disse årene. Vi kjemper for en verden hvor det skal herske frihet og toleranse. Men vi akter ikke en gang til å drive toleransen ut i dens egen karikatur. Vi akter ikke å la intoleransen smi ferdig sine våpen mens vi i toleransens navn sitter med hendene i fanget og ser på.

Kanskje det kunde være møien verd å friske op i hukommelsen et par helt selvfølgelige ting.

Alle vet at det finnes usympatiske jøder – som det finnes usympatiske dansker, svensker og nordmenn.

Mange har kunnet konstatere, at de usympatiske trekkene hos enkelte jøder, de har på en eller annen måte noe med *handel* å gjøre. Men nettop der og da burde vi huske på, at handelen er et erhverv som i en rekke land er blitt jødene *påtvunget* gjennem hundrer av år, i og med at andre erhverv blev dem nektet. På den måten er det opstått et bestemt handelspreget jødisk miljø, som en stor del av jødene er vokset op i, og som i enkelte tilfelle preger visse jøder så sterkt, at vi uvilkårlig sier: arv! rase! Men det meste av det vi ser er intet annet enn en viss miljø- og tradisjonsbestemt optreden.

Andre sider av jødisk vesen som kan virke fremmed på oss – la oss si en viss fatalistisk-forsiktig holdning – har rett og slett sin rot i den forfølgelsen jødene har vært utsatt for om og om igjen i mange hundre år.

Trekker vi disse tingene fra – ting som vi og våre like direkte og indirekte er skyld i – så har vi følgende tilbake: et meget begavet gammelt kulturfolk, litt anderledes enn vi. Det har sydlandsk blod i årene, men det er et blandingsfolk og minst av alt er det noen spesiell *rase*.

Det er utrolig, men like fullt et faktum, at nettop dette med begavelsen brukes som et ankepunkt mot jødene.

Ja visst er de begavet. Neppe mer enn en rekke andre folk, forresten – tenk bare på grekere og islendinger; men kanskje litt klarere oppi hodet enn mange svensker og nordmenn.

Hvad så? Dette at antisemitten opfatter begavelse som noe uhyggelig, viser best av alt hvilket nivå han representerer.

Her vil en og annen antisemitt protestere. Det er ikke begavelse i og for sig han er redd for, men den spesielle nedarvede, jødiske form for den osv.

Hvortil atter kan svares: Det finnes ingen «jødisk» eller «nordisk» eller «tysk» begavelse. Det finnes begavelse, pluss et miljø som virker slik eller slik på begavelsen.

Den som ikke er født igår eller i forgårs kan huske den tiden da vi nordmenn trodde vi var særlig skikket til å gå på ski og skøiter. Det var en «norsk» egenskap det der, og vi var stolte av den. Siden kom tiden da svensker, finner og andre hadde lært, og vi måtte opleve å se oss slått. Egenskapen var slett ikke noen «norsk» egenskap, men berodde på lang øvelse, god trening og en sum av erfaring.

De «jødiske» egenskapene er nøiaktig så jødiske som skiløperevnen var norsk.

Det er verd å legge merke til, at der hvor jødene har kunnet leve virkelig fritt, som selvstendig folk (i nutidens Palestina og i visse strøk av Sovjet-Samveldet) der er det forbausende hvor fort de trekkene som antisemittene kaller jødiske, forsvinner eller trer i bakgrunnen.

Sannheten om jødene er meget enkel, og samtidig meget innviklet, som alt menneskelig samtidig er enkelt og innviklet. Jødene er et folk som andre folk, men med den særlige skjebne at de er blitt spredt over kloden. De er på lignende måte som vi andre blitt preget av sin historie, av sine kulturtradisjoner, av sine sørgelige og mindre sørgelige erfaringer. De er blitt preget av den undertrykkelsen de har lidd under, og i kampen mot den undertrykkelsen har de lært sig en del kampmetoder som kan være mer eller mindre «sympatiske», men som henger sammen med undertrykkelsen og vil forsvinne sammen med den. Forøvrig finnes det blandt jødene som blandt andre folk vakre og stygge, kloke

153

og dumme, ærlige og uærlige, stolte og ydmyke, høitstående og lavtstående individer. Intet menneskelig er jødefolket fremmed.

Men for antisemitten er altfor meget menneskelig blitt noe fremmed. Han skjærer et helt folk over en kam. Derved fordummer og forpøbler han sig selv og gjør sig selv til et mindreverdig menneske.

Den hellige alminnelige kirke

1926

Nedover Boulevard Saint Michel kommer en høy, sortkledd kone gående med lange skritt. Folk snur seg og ser efter henne. Det er ikke hvem som helst gitt å få folk til å snu seg på Boulevard Saint Michel, hovedgaten i det gamle latinerkvarteret. Hvert minutt passerer det mirakler i menneskeskikkelse, men folk snur seg ikke efter dem, folk er forvent med mirakler på Boulevard Saint Michel. Gaten ryker og bobler av hastverk og rastløshet, studenter fra tredve folkeslag fyker opp og ned – skrikende italienere, magre spaniere med tunge innfalne øyelokk, mørke stille melankolske arabere, Sahara-innvånere i alle farger fra elfenben til ibenholt, innfødte franske studenter med helskjegg, pipe i munnen og pike under armen, bleke russere i svarte bluser, lange rødhudede skandinaver med verdensmannssmil fra Hadeland eller Västerås; små kinesere i tusentall med flate, gule månefjes og øyne som smale sprekker inn til et fløyelsbløtt mørke, engelske ladies av en viss alder, med ribbenene og andre skarptskårne kvinnelige yndigheter synlige tvers gjennom kjolen, tyske turister med Baedeker som en rød klut i hånden, små kunstnere fra et østlig eller sydlig utland, med poetiske fettglinsende lokker nedover ryggen og tegnemappe under armen, seende seg omkring med myke mørke hundeøyne efter en betalende modell. Der er mer enn nok av usedvanlige ting å se og høre. Vanskapte tiggere kryper travelt hen over asfalten og spiller fløyte med neseborene, familiefedre vandrer hjemover med aftenens brød i hånden, langt og tynt som en spaserstokk, marokkanske teppehandlere med rød fez skrider gravitetisk avsted under sin bør av ekte håndvevete afrikanske tepper, fabrikkmessig fremstilt i Marseille; fortauskaféene er fulle av folk som eftertenksomt sitter og drikker seg sultne; ute i gaten stabber Christian Skredsvigs hvite normanniske hester

155

avsted med lass så store som hus, biler tuter og lyner forbi med sin last av politikere, gledespiker, forretningsmenn og turister, konstabler står i gatekryssene og svinger med armene, aviskoner skriker, klutesamlere synger, blomsterselgersker oppdager med gribbeøyne alle forelskede i mengden og stikker varene sine opp i ansiktet på dem. Langt ute i vest reiser Babels tårn sitt slanke jernskjelett mot himmelen.

Men alt dette virvaret, all denne travelheten og larmen eier en munter og levende og dagklar tone. Den høye svartkledde konen kommer gående gjennom dagen og munterheten som en fortettet begravelse. Folk snur seg og ser efter henne.

Hun er utrolig gammeldags kledd.

På hodet har hun en bredbremmet stiv svart hatt som kan minne litt om de blanksvarte, underlige fuglereirene vi av og til kan finne når vi roter på et gammelt loft. Bestemødrene våre kalte dem for hatter, og hadde dem visst på hodet når de fulgte en eller annen av oldemødrene våre til jorden.

Kjolen er høyhalset, langskjørtet og så tilknappet at om det kunne tenkes at denne damen en gang måtte velge mellom dyd og last, så ville hun aldri bli ferdig med å telle på knappene.

De unge pariserpikene svinger og svanser seg forbi henne. De er kledd i vårens siste mote, lyse, lette kjoler som avfinner seg med bluferdigheten på nye og overraskende måter.

Den lange svarte må være fra et fjernt og glemt sogn, der verdens dårlighet ennå ikke har trengt seg inn. Høyhalset, flatbrystet, med skjørtet subbende omkring hælene, kommer hun stigende med salmebok i hånden.

Yndig er hun ikke; aldri så verden en kvinne med slike store føtter, hun gynger avsted på dem som på svære meier – og heller aldri en kvinne med så tett og stiv skjeggbust.

Der gikk hun forbi.

Det var en katolsk prest.

*

En protestantisk prest, hva er det? En nokså alminnelig mann. Til søndags stiver han seg opp med pipekrave og samarie, men om hverdagene kan vi rent komme i skade for å glemme hvem han er.

Ikke for det, vi har jo våre typer, vi kjenner dem alle: Først den fete, glattbarberte presten av skuespillertypen. Gjennom mange år har han gjort sin plikt, vært glad med de glade og sorgfull med de sørgende, inntil gjerningen har satt sitt stempel på ham. Der er neppe noe større vondt i ham, tvert imot; og det ville jo bare være menneskelig, om han var litt forfengelig og satte litt pris på sitt talent, og om han, når han opptrådte for halvtomme benker i den vesle sognekirken, kom i skade for å tenke, at han egentlig var skapt for en større scene.

Så har vi presten av den motsatte typen, en myndig herre med fullskjegg, ofte mager og asketisk, ofte forbløffende lik et billede av Kristus. Vi bør tro at likheten skyldes åndelig slektskap, og at det bare er tilfeldig at han klipper skjegget på nettopp den fasongen.

I den siste tid har vi fått en tredje type, den moderne presten, som er frisinnet og fremskrittsvennlig og vil bygge bro mellom vitenskapen og religionen. Og virkelig ligner han ofte en vannbygningsingeniør eller en annen mann fra det praktiske liv. Men legg merke til ham i en diskusjon, når han er hardt presset og må uttale seg om jomfrufødselen. I velformede setninger strømmer symbolske uttrykk og uforståelige forklaringer fra hans lepper, ledsaget av smukke runde håndbevegelser – og disse håndbevegelsene, de kan et øyeblikk på forunderlig vis minne om den erfarne taskenspilleren når han står oppe på scenen med oppbrettede ermer og renvaskete hender og avvekslende lar et egg komme til syne og forsvinne igjen – inntil han plutselig snyter det ut av nesen på den intet ondt anende tilskuer.

Men til tross for at disse typene eksisterer og vi alle har sett dem, så har vi neppe noensinne fått det inntrykk at de tilhører en annen verden enn vår. Knapt nok en annen tid.

De katolske prestene er noe annet. Når de kommer sjokkende henover gaten, en og en, to og to eller i flokker på opptil tolv, da kan det hende den mest forherdede, at han merker som et pust fra en annen verden.

Det myldrer av prester i Paris.

Og allikevel er Paris sikkert ingen særlig from by. Dens utallige kirker kunne ellers tyde på litt av hvert. Men svært mange av dem er bygget av rike, aldrende herskere og tenkt som et sildig sonoffer for mange og blomstrende synder. De er med andre ord utslag av en utpreget nøktern fransk tankegang – man anbringer en kapital en gang for alle i en kirke, mot sikkert løfte om en evig livrente hinsides . . .

Bortsett fra Notre-Dame, som ligger veldig og dominerende ute på holmen i Seinen, fører de fleste kirker i Paris en stille og tilbaketrukken tilværelse, de lukker for enden av en eller annen blindgate, eller de ligger i gatelinjen med leiekaserner og gledeshus like ved siden av. En unntagelse danner Sacré-Coeur-kirken oppe på toppen av Montmartre. Den ligger stygg og hvit og ruger oppe på det høyeste punkt av Paris. Men Paris's kommune eier tomtene rundt omkring, og sjikanerer kirken på enhver måte, stenger adgangen til den med stygge plankegjerder på kryss og tvers, og lar plassen rundt omkring ligge ustelt som en avfallshaug. Og like foran kirkeveggen, rett under en statue av Jesus som står med hendene utstrakt, har byen reist en billedstøtte over en ung mann som ble torturert og henrettet i Paris den 1. juli 1766, fordi han hadde nektet å blotte hodet for en kirkelig prosesjon.

Nei, Paris er ingen særlig from by. Butikker holder oppe søndag formiddag og gjør gode forretninger; spesialutsalgene av alterlys og krusifikser holder beskjedent til i små smug og streder, ikke prangende i hovedgaten som i de virkelig fromme byer. Midt i kirketiden står avisgutter og selger «Action Française» ved inngangen til Notre-Dame og blander sine skingrende stemmer med korsangen innenfra. Inne i kirken er det mange folk. Hva ber de om? På den andre siden av Seinen venter rutebilene som skal bringe kirkefolket ut til hesteveddeløpene i Longchamp.

Men det myldrer av prester i Paris.

Ikke så meget på de store, travle boulevardene, der passer de ikke inn, og om en eller annen av dem forviller seg dit, kan han i farten bli tatt for en underlig, foreldet kone fra Normandie. Men i de stille, trange sidegatene, der larmen fra de store ferdselsårer neppe kan høres, og solen bare titter ned en ganske kort stund hver dag, der kan man ikke gå i fem minutter uten å møte dem – enkeltvis eller i flokker. Det er især de aller yngste som opptrer i flokk, disiplene, presteelevene som ennå er under utrugning og som kanskje føler kjolen trykke seg i ensomheten. De fleste – av de yngre som av de eldre – ser ut til å være fra landet, de har sterke, primitive bondeansikter; landet er nå som før gudfryktigere enn byen. Mange av dem er blonde, av en grov nordisk type. Ganger-Rolv skulle se sine svartkjolete efterkommere, der de stikker seg inn i sidegatene, med lange skritt, mens skjørtet blafrer og smeller festlig som et flagg i frisk vind.

Hva gjør de alle sammen? Svært mange av dem er sikkert opptatt med beskjedent, menneskekjærlig, prisverdig arbeid. Mange har vel også sitt virke i en eller annen av de institusjoner som kirken skapte i sine store dager, og hvor de i fred og ro kan sysle med en eller annen av de tillatte vitenskaper. Noen er for eksempel bibliotekarer ved katolske biblioteker.

Men de fleste driver med sjelesorg.

*

Det er en kveld i mørkningen utenfor den gamle, ærverdige kirken Saint Sulpice. Plassen ligger tom og fullstendig stille. Da er det som om mørket inne under kirkens porthvelv fortetter seg og blir levende, en skare prester glir på store, lydløse føtter ut av kirken og sprer seg over plassen, møtes igjen og sprer seg på ny, taust svermende gjennom skumringen som store flaggermus. Og tilskueren griper seg i å undres på om de har hengt efter pekefingeren oppe under hvelvet i den store, dunkle kirken hele den lange lyse dagen igjennom.

Efterhånden forsvinner de en efter en ut i de mange, mørke smug og streder som stråler ut fra plassen omkring kirken. Hver går til sitt, og den tilfeldige tilskueren blir stående alene igjen.

Tusmørket tetner. Plassen ligger øde.

Med ett skammer tilskueren seg der han står.

– Hvem er du? sier han til seg selv. – Hvem er du, at du driver gjøn

159

med disse bærerne av en gammel tro og tradisjon? Du minner meg om en gymnasiast som lett og lekende har løst alle problemer. Disse prestene ser komiske ut om dagen på de store boulevardene. Har du sett dem ved en sykeseng? Husk, at til og med her, i verdens muntreste og mest dagklare by, fins det enker og faderløse, syke og sorgfulle, mange som strider i dødsens nød. Til dem kommer disse kirkens menn og trøster med løfter om det hinsidige.

Du forarges, du mener de trøster med en løgn. Men de trøster. Hva gjør du og dine?

Du mener at denne verdens problemer må løses i denne verden. Hvordan har du og dine løst dem? Hver by har sin slum, hver gate sine forlatte.

Det er kapitalismen, sier du. Det er plutokratiet. Gi oss tid. Opplysning og atter opplysning . . .

Det underlige er, at tidligere tiders opplysning ofte synes oss pinlig flat, mens tidligere tiders overtro av og til rommer dybder av visdom.

Det verste ved den meste opplysning er at den er kald. *Saken*, sier vi, og glemmer personen. Vi diskuterer folkets vel så folket gjesper kjeven av ledd. Vi er så opptatt av tanken på en bedre oppdragelse, at vi blir fremmede for våre egne barn.

Kirken husker sine barn – hvert enkelt av dem.

Er vår tids opplysning klokere enn fortidens? Er den varmere? Har den hist og her foredlet seg til visdom? Det vil eftertiden avgjøre.

Du vil gjerne tro, at på *en* måte iallfall er vi blitt klokere – vi begynner å ane vår begrensning. Ansikt til ansikt med de siste ting stammer vi og blir stumme. Deri ligger vår heder – og vår avmakt. Folk flest er som barn, de forlanger svar.

Kirken gir svar. Vi vet at svaret er galt – de mange kan ikke vite det, de synes kirken gir dem den hjelp vi narrer dem for.

Veien er ennå lang.

Rundt plassen tennes de grønnlige gasslyktene som ikke finnes noe annet sted i verden. Tusmørketimen er over, plassen har atter fått lys og skygge.

Tale på femtiårsdagen

I en sluttet krets, desember 1940

Dessverre har jeg ikke noen større øvelse i å fylle femti år, så jeg er ikke riktig klar over hvad som ventes av mig.

Noe bør vel livet ha lært en mann i den alderen – han bør ha fått et visst overblikk, en del erfaring som kan legges i arkivet for denslags. Og helst bør han kunne si et par visdomsord som kan egne sig til å citeres galt.

En forfatter på femti burde jo ha adskillig å fortelle, la oss si, om skribenten og publikum, åndslivets kår i Norge, forfatteren og kritikeren, forfatteren og forleggeren og en hel del av lignende art.

Jeg tror jeg lar det ligge. Alt det der kunde være vel og bra for halvannet år siden, ja for åtte–ni måneder siden. Men det er hendt en del siden da. Ikke sånn å forstå at disse problemene er forsvunnet. De er der, og de vil nok dukke op igjen en gang. Men *nå* er der skjedd en forandring i perspektivet. Meget av det som var stort og viktig, er ganske stille sunket ned og blitt uvesentlig. Og noe annet, som var så selvsagt at vi nesten ikke tenkte på det, er blitt så alt overskyggende, at vi ikke tenker på stort annet.

Det kan stå et tre på vårt eget tun, som vi ikke ser fordi det alltid har stått der. Så blir det hugget ned en dag – og tunet er ikke lenger vårt eget.

Mangt og meget har fått et nytt lys over sig i disse månedene.

Hvis jeg skal ta og putte mig selv i en sekk, så må det vel bli blandt dem som har søkt å understreke *barndommens* betydning i menneskenes liv. Barnet er mannens far. Alt det viktigste i livet hender dig før du er ti år, siden hender det bare om igjen. Ja, vi kan alt det der.

Og jeg tror fremdeles det er sant. Men samtidig tror jeg det er sant, at det som har hendt oss i månedene efter 9. april, det har virket sterkere på oss, har skaket mer op i oss, har åpnet øinene våre mere enn mange års barndomsoplevelser.

Hvis jeg skal putte mig i en sekk en gang til, så blir det vel i det som folk pleier å kalle *den intellektuelle opposisjon.*

Om den tror jeg nok det er en vedtatt mening, at den er litt av en åndelig snobbeklubb. At den har drevet opposisjonen som litt av en sport. At det likesom var *fint* å være i denne opposisjonen.

La mig da si, på egne og andres vegne, at *en* lykke har vi oplevd midt i den ulykken som har rammet oss alle. Og det er, at vi endelig en gang på ett vesentlig punkt – det ene vesentlige punkt – har kunnet føle oss som enere i rekken, som ett med alle. Det er en følelse som veier op ikke så lite. Og i de tidene som skal komme, tør vi håpe, at *den* oplevelsen vil bli husket en stund.

De tidene som skal komme . . .

Det blir ikke de gamle tidene. Det vet vi, mere eller mindre klart, alle sammen. Derfor er det sikkert mer enn en som i det siste i all stillhet har satt sig ned, sett sig om og gjort op sitt bo.

Vi må jo innrømme det – ikke allting var som det burde være her i dette landet heller. Nå, det er det jo aldri noe sted. Men så billig slipper vi ikke fra det. Hvad kunde og burde vi gjort anderledes, sånn som tiden og tingene lå an, eller på tross av tiden og alle tingene?

Det er en ufruktbar og dessuten en lite tiltalende utvei å søke efter skyld og feil hos *de andre.* Vi blir nok nødt til å se efter, hver hos sig selv.

Nå bør man ikke vente noen sensasjonell omvendelse her. For mitt eget vedkommende må jeg si, at alt det jeg roter og graver, så er jeg ikke i stand til å angre så hardt på det jeg har gjort. Men vel på mangt og meget som jeg *ikke* har gjort.

Vi – den generasjonen som nå runder de femti, generasjonen mellem de to krigene – har ikke vært i noen særlig lett stilling.

Nå ja, det kan jo være litt op og ned, forresten.

Noen blev kynikere. Og en del av dem har gjort det ganske godt.

Andre blev fanatikere. Og enkelte av dem har heller ikke gjort det så dårlig.

Men vi andre, vi som ikke fikk til noen av disse ytterlighetene, om oss tror jeg en kan si, at vi til en viss grad er blitt sittende mellem to stoler. Vi kunde ikke trives i det gamle, og vi kunde ikke finne oss til rette i det nye.

Vi syntes de store ordene var brukt op. Og det var de jo, i og med den forrige krigen. Vi hadde ikke opdaget, at når de store ordene er brukt op, så kan en bare erstatte dem med noen enda større.

Nå ja, vi har gjort det ganske bra allikevel, mange av oss er blitt aktede medlemmer av samfundet, som det heter. Men det *sitter* man sig jo frem til eftersom årene går – selv om man sitter mellem to stoler.

Nei, jeg tror vi kan si om en stor del av denne generasjonen, som dikteren sier i visen:

Og lykken, den var ikke vår.

Det er ikke sikkert det var vår feil. Men feil eller ikke feil – kunde det vært anderledes?

Det er ikke min mening å spørre: *Kunde vi hindret . . .*

Meget kan tale for, at det som er hendt *måtte* hende. Det har mange likheter med en naturkatastrofe. Men det kommer dager efter denne, og det kan være nødvendig å se på fortiden av hensyn til fremtiden.

Og la mig da ikke ta munnen altfor full med ord som *generasjon*. La mig heller se litt nøiere på den gruppen som kalles den intellektuelle opposisjon eller de intellektuelle radikalere.

Vi vet det blir sagt fra mange hold, at vi har vært *negative*.

Det kunde kanskje være umaken verdt å finne ut hvad folk egentlig mener med dette stygge ordet.

Jeg tror vi kommer sannheten nokså nær om vi sier, at folk gjerne kaller en mann negativ, hvis han kritiserer ting de setter pris på, eller ting de vet det er god tone å sette pris på.

Positiv kalles den som forsvarer disse tingene.

Nå er det klart, at det fins folk som har en egen glede av å rive ned, av å preke oprør eller spre tvil. Det fins folk som har et eget talent for

163

spott, akkurat som det fins folk med en egen evne til å snakke opbyggelig. John Bright kunde si *Mesopotamia* så folk gråt. Det finnes andre som kan si det sånn at folk ler eller skjærer tenner. Det har vært en del talentfulle spottere i de intellektuelle radikaleres krets – i alle land. Og de kan ha vakt forargelse.

I den forbindelse må jeg tenke på en setning av Heine (som jeg forresten ikke husker ordrett – alderen begynner å gjøre sig gjeldende) som lyder omtrent som så:

Noen sa til tigeren: Se på sauen, den klorer ikke!

Men jeg vil ikke påstå frifinnelse på et sånt, jeg hadde nær sagt biologisk grunnlag.

Tvert imot, jeg vil erkjenne oss skyldige. Riktignok på en litt annen måte.

Trotski, den mest berømte av denne tidsalders intellektuelle radikalere, har, efter at han blev detronisert, skrevet en rekke bøker hvor han søker å forklare sitt eget fall og det sørgelige faktum at den russiske revolusjon så fort slo om i åndelig reaksjon.

Han har sett meget. Men en ting var han forhindret fra å se, eftersom den berodde på egenskaper hos ham selv som han ikke gjennemskuet:

Han var intellektuelt hovmodig.

Vel. Når han sammenlignet sig selv med dem han hadde omkring sig, så hadde han grunn til å være det. Men så paradoksalt er livet, at det viste sig: nettop fordi han hadde grunn til å være det, burde han ikke vært det. Mange, som intellektuelt ikke var verdige til å knytte hans skobånd, kunde ha fortalt ham ting som det vilde vært godt for ham å vite. For eksempel, hvilke sorger og bekymringer som plaget den almindelige mann. Hansen og Jensen eller hvad de heter på russisk.

Men ellers har han innsett litt av hvert.

Han skriver et sted om familielivet – hvor omslaget til reaksjon har vist seg særlig tydelig – omtrent som så:

«Drevet av sosialistisk iver slo vi i stykker familien. Og det var i og for sig riktig – familien hører hjemme i det gamle samfund og må gå under med det. Men vi hadde ikke hatt tid til å bygge op de institusjoner og den tankegang som skulde erstatte det gamle. Vi hadde ingen fødeklinikker, ingen barnekrybber og barnehaver, ingen sanatorier for mødrene, ingen mødreforsikring. Følgen blev kaos, og av dette kaos opstod reaksjon. Da kvinnen fikk valget mellem på den ene side et hjem i gammel stil, med fattigdom, fyll og en mann som slo henne, og på den annen side *ingenting*, så foretrakk hun hjemmet og mannen.» Vi – de av oss jeg nå tenker på – har gått løs på mangt og meget. Vi har spottet, kritisert, avslørt. Og de folkene vi har henvendt oss til, de har da sagt – og sagt med rette: Vel. Det og det er altså galt. *Men hvad så?* Og der spørs det, om vi har hatt tilstrekkelig enkle, det vil si tilstrekkelig gjennemtenkte svar. For det kreves et svar. La oss innrømme det – folk flest har det ikke så morsomt. Men nettop derfor trenger de, tvers gjennem savnene og gråheten, noe fast å tro på. Og kan ikke vi skaffe dem det, er det nok av andre som både vil og kan. Det har vi fått erfare.

Jeg tror vi har lært noe av denne tiden: River du noe ned, da sørg for at du har noe å sette i steden. Helst noe bedre. Og aller helst noe som er bedre ikke bare for dig selv, men også for andre.

Vi kan ikke frikjennes på dette punkt, det jeg kan se.

Men på et annet område er det verre. Og der rammer anklagen ikke bare oss såkalte radikalere, men alle som kaller sig åndsarbeidere.

Vi har isolert oss.

Ikke bare fra folk flest, men fra hverandre.

Vi vet jo alle, at til en viss grad er det uundgåelig. Det er for alltid forbi med den lykkelige tiden da en enkelt mann kunde beherske alle kunster og videnskaper. Skal en mann kunne prestere noe verd å snakke om på et område nå til dags, så krever dette området all hans tid og kraft, og enda er det ikke nok.

Vel. Så har vi gravd oss ned da, hver i vårt. Og er blitt isolert, er blitt ensomme.

Isolert fra hovedstyrken, som det heter med et aktuelt uttrykk.

Kontakten med det store flertall vi kaller *jevne mennesker* – fikk vi den, var det bra. Fikk vi den ikke, blev det verst for de jevne menneskene. Nei, det blev verst for oss. Eller kanskje for begge parter. Nå ja, men hvad skulde vi gjort? Ingen kan være to steder på en gang. Det er bare det fortvilede, at undertiden kreves denne umulige tingen av oss.

Vi husker hvordan det gikk Moses, da han isolerte sig i firti dager og firti netter og fordypet sig i samtaler med sin Gud oppe på Sinai berg. Da han kom ned igjen, danset folket rundt den gullkalven som ypperstepresten hadde latt lage til det.

Da blev Moses grepet av hellig vrede, står det. Han slo lovens tavler i stykker og knuste gullkalven til støv og strødde støvet i bekken som rant nedover berget.

Men det var Moses. Vi andre, når vi av og til vennligst er steget ned av berget, vi har nok måttet nøie oss med å sitte som tause tilskuere til dansen om kalven.

Isolasjon . . .

Det er langt mellem gårdene i dette lange, underlige landet. Og det klager vi ikke over. Det har ført til mange bra ting, som vi ikke vilde bytte bort for meget godt. Men det har også ført til, at det lett er blitt langt mellem menneskenes sinn. Det har skapt mistro, mistenksomhet – og skadefryd.

Hvis det er tillatt å hoppe fra Sinai berg og til Odalen, som også er et lærerikt sted, så vil jeg citere noe jeg har funnet i en gammel bok derfra: Det er en sogneprest som skriver følgende, for hundre år siden:

Af Rovdyr fanges kun faa i dette vidløftige Skov- og Bjergrige Prestegjeld. Af Bjørnskyttere findes ikke over 2, og Ulvegrave ere ingensteds at se, skjønt disse Skov-Despoter ofte besøge deres Naboer, og lønne deres Skaansomhed som Løven den Lade. Især har Ulven denne Sommer dræbt mange Kjør, Faar og Gjeder, og adskillige Heste ere blevne Ofre for Bjørnens Klør. Jeg overtalede Almuen derfor til en Klapjagt; men da de bleve samlede, kunde de ikke enes om at vælge en Anfører, hvorfor enhver reiste hjem til sit med uforrettet Sag.

Odalen var litt av en knivstikkerbygd i gammel tid. Men denne beretningen viser oss, at også dengang var det sånn, at knivstikk innad godt kunde forenes med pasifisme utad.

En annen historie:

I en av bygdene våre hadde den religiøse sekten som kaltes Lammersbevegelsen hatt mange tilhengere. Men gruppen spaltet sig op i indre splid. Til slutt var det bare to stykker, et ektepar, igjen i folden. En som stod utenfor spurte da mannen, om han nå også var sikker på, at bare han og konen vilde bli salige. Svarte da mannen:

Eg tek til å tvila for ho Kari!

Dét er norsk – sånn som det norske av og til viser sig.

Her i kveld er vi samlet en liten flokk. Men ikke mindre, enn at vi nok kunde ha adskillige sannhetsord å si hverandre, hvis det kom an på dét. Jeg er ikke så sikker på, om vi vilde tilkjenne hverandre saligheten.

Eller: Jeg er ikke sikker på om vi vilde ha tilkjent hverandre den for et år siden.

Det var så mange ting som skilte oss. Standpunkter. Kostelige standpunkter. Og om dette stevnet var blitt holdt for et år siden, da mange flere *kunde* kommet – er jeg likevel ikke så sikker på at så mange flere *hadde* kommet.

Det er dette med standpunktene.

I dag er ikke disse gamle standpunktene så viktige.

I dag har mange av oss lært å erkjenne på en ny måte det gamle ordet: I bekymrer Eder om mange ting. Men ett er fornødent.

Det er ikke standpunktene som gjør at vi må savne mange her i kveld.

Vi savner mange – men for tanken er de her allikevel.

Jeg må tenke på to boktitler:

Meninger om mange ting og *De unge døde*.

Den ene av de to forfatterne er i Sverige, den andre i England.

De unge døde – de færreste av oss kjente noen av dem. Men dårlig må det være med oss, om vi ikke føler at vi kjenner dem allikevel, som om de hadde vært våre egne brødre.

Våre forskjellige meninger om mange ting, dem har vi. Men de spiller så liten rolle nå. Med litt hell skal vi få en chanse til å slåss om dem siden.

Vi savner mange. Noen er langt borte, skilt fra oss ved landegrenser eller av sperret hav. Men tankene deres vet vi nok hvor er, hver time på dagen.

Noen er forholdsvis nær ved oss – sittende i hvert sitt lille rum med et lite vindu høit på veggen. Men vi vet noe om dem også – at der de sitter, vider veggene sig ut så de omfatter hele Norges land.

Vi sitter foreløbig rummeligere. Men la ikke derfor vår tanke bli trangere.

Stridsmannen

av Philip Houm

Denne artikkelen har ingen store pretensjoner. Den gir lite av analyse. Lite av vurdering. Noe slikt ville kreve en stor bok for seg (en bok som bør komme). Derimot prøver den å levere en kartlegging, en oversikt over det digre stoffet: Sigurd Hoel som stridsmann og essayist i et av de mest spenningsfylte tidsrom i Norges åndshistorie.

Ph. H.

Nylig bladde jeg i *Møte ved milepelen*, en ujevn, men tanke- og fantasivekkende roman.

Øynene mine falt på noen linjer der jeg-personen, «den plettfrie», karakteriserer seg selv eller en del av seg selv:

Jeg leste grådig alt som kom innenfor min rekkevidde. Jus, naturligvis, ettersom det var mitt fag. Men dessuten matematikk, fysikk, kjemi, alle naturfag, historie, filosofi, litteratur. Først og fremst litteratur. Og jeg hadde gjort meg opp den sikre mening at så vidt jeg kunne forstå, hadde jeg så god forstand som overhodet mulig. Tidligere, på skolen, hadde jeg gjort den erfaring at når jeg ville, kunne jeg huske alt.

Dette er setninger som sier en god del om Sigurd Hoels egen intellektuelle utrustning. Jeg mener ikke at «den plettfrie» er identisk med sin skaper; men *disse* linjene kan – mener jeg – sees som gode bidrag til en selvkarakteristikk. Kunnskapsrikdommen var overveldende, og den var der som en selvfølge, jeg kan ikke se at Sigurd Hoel noen gang briljerte med den.

I hvert fall er den en av forutsetningene for at Hoel ble den djerve

169

og grunnsolide kulturformidler og polemiker han forholdsvis tidlig ble. Intelligensen hadde han fått i vuggegave; den var alle dager iøynefallende. Vel så vesentlig er at den mangesidige kunnskapsrikdommen var med på å gjøre ham til et av de klokeste skrivende mennesker som har levd i dette landet. En mann som forstod mye – med både tanke og følelse.

Derfor kunne han aldri bli noen dogmatiker. Klokskapen hindret ham, rommeligheten hindret ham. I likhet med forgjengeren Arne Garborg, som han i mangt og meget minner sterkt om, opplevde han, *virkelig* opplevde, tidens skiftende åndsstrømninger; men han ble aldri stående i noen av dem. Han skulle videre. Derfor måtte han slåss på mange fronter samtidig. Trass i kraftige kommunistiske sympatier i ungdomsårene ble han aldri rett-troende marxist. At han var en av de første nordmenn som til bunns avslørte alt som kunne smake av fascisme eller nazisme, understreker jeg allerede her.

Ikke mindre betegnende:

Tidlig dro Sigurd Hoel til felts mot diktaturtendensene *hos oss alle*. Han kunne uttrykke det slik: I mannens undertrykkelse av kvinnen, i foreldrenes undertrykkelse av barnas naturlige utvikling, overalt ligger spiren til nazisme. Han kunne også si det slik: Kampen for den sosiale, den økonomiske, den åndelige og den moralske frigjøring, det er ikke fire forskjellige slags kamp. Det er samme kamp, på samme front.

Her blir dybdepsykologien, med dens revolusjonerende landevinninger, en av de store hjelperne. Sigurd Hoel slo til lyd for freudianismen på et tidspunkt da bra folk gjerne trakk på skuldrene av den nye psykologien. Han slo til lyd; men – han ville ikke vært Sigurd Hoel ellers – doktrinær freudianer var han aldri. I romaner som *Syndere i sommersol*, og andre steder, driver han muntert gjøn med visse sider av den.

Ironien var alle dager Sigurd Hoels viktigste våpen. Så ironisk kunne han virke at lesere og lyttere forvekslet den harsellerende tonen med grettenhet, med kjølighet, ja med «negativisme». Kanskje ikke så rart. Han lærte seg aldri kunsten å bære over med sine medmenneskers

170

dumhet. Jeg har en mistanke om at han tenkte som salig Montaigne: Det irriterende med dumheten er især at den er mer fornøyd med seg selv enn noen fornuft fornuftigvis kan være . . . Og det hendte vel at misantropien kunne ta makten. Men man skulle være en slett leser for ikke å oppdage at menneskevennligheten gikk dypere. Man kan si det slik at intelligensen og klokskapen og det uuttømmelige kunnskapsforrådet ble supplert av en utstyrlig, nesten troskyldig iver og nyfikenhet. Som så mange betydelige kunstnere hadde han bevart mye av barnet på bunnen av sitt sinn. Derfor var han – på lang sikt – ukuelig optimist. Én tro fylte ham, og den forkynte han: Han eide en urokkelig tillit til åndens, det frie ords makt. Brennende var hans tro på den rolle den uavhengige og i Norge ofte foraktede skribent kan spille i kulturkampen.

Engang trakk Sigurd Hoel opp en hovedlinje i europeisk og amerikansk diktning i vårt århundre. Og som så ofte lyktes det ham å konsentrere det han ville si i et par enkle setninger. Jeg innbiller meg at disse setningene hører til dem han var glad over å ha formulert:

Størsteparten av denne diktningen har på en eller annen måte en tendens, og denne tendens har i ni av ti tilfelle gått ut på å forsvare de svake, de undertrykte, kvinnen, barnet, den fattige, den unge og ensomme, den avstikkende og forfulgte.

For alle disse var Sigurd Hoel en utrettelig ridder. En lidenskapelig ridder, har jeg lyst til å si – for å bruke et adjektiv som få forbinder med denne mannen.

* * *

På en måte kom Sigurd Hoel nokså sent i gang, ikke bare som romanforfatter og novellist, men også som essayist og kritiker og kulturformidler i dagspressen. Jeg kan ikke se at han ydet noe nevneverdig bidrag til samfunnsdebatten i årene før 1914 (da han var i 25-årsalderen).

Årsakene var tallrike. Han hadde unektelig andre jern i ilden, og

171

noen av jernene kunne være ganske glødende. For det første skulle han tjene sitt levebrød, som mangeårig sekretær i Videnskapsakademiet, som petitjournalist, som skolelærer og som privatlærer i matematikk – onde tunger ville ha det til at den ganske sjenerte, men sjarmfylte unge mannen eide en utrolig evne til å få særlig de kvinnelige elevene til å forstå, eller i hvert fall få dem til å tro at de forstod noe, en evne som, het det seg, neppe var av utelukkende pedagogisk art. Også venner, gode og mindre gode, tok hans tid; «Sigurd» var den store hjelperen alltid, og den hyggeligste person noe menneske kunne treffe. Hans eget studium (først realfag, så jus!) krevde sitt; blant annet krevde det *tempo*.

La oss dessuten ha in mente at Sigurd Hoels tidligste ungdomsår, perioden før første verdenskrig, tilsynelatende var en rolig tid utad. Hersket ikke på alle hold fred, frihet og fremgang? Var ikke det unge Norge fremtidens land? Var ikke fattigdommen på det nærmeste avskaffet? Krig og angst og ufornuft også? Stod det annet tilbake enn å slå portene opp til paradiset?

Riktignok kunne den dystre kosmopolitten Sigurd Ibsen utbre seg om «det sentimentale rovdyr som det veludrustede menneske af den hvite race er». Men slike Kassandra'er hørte ingen på.

Den unge revolusjonære

Så kom 1914, 1915, 1916. Mye tyder på at Sigurd Hoel og hans jevnaldrende kunne skrive under på noen ord som flere tiår senere, da okkupasjonen var gjennomlevd, ble uttalt av en av dem:

> For den som var blitt seg bevisst da første verdenskrig brøt løs over verden, vil august 1914 bestandig stå som det svarteste noe menneske kommer til å oppleve.

Ikke minst hos Hoel kan det virke som om noe av det innerste var i ferd med å fryse ihjel under krigen og de første etterkrigsårene. Blodstrømmen ute i Europa var én sak. Jobbetidens uhemmede champ-

172

agnestrøm var en annen; men dessverre hang disse «sakene» intimt sammen. Dertil kom den beske skuffelsen over Versailles-freden, den fred som med en sarkastisk vending av Arnulf Øverland, *brøt ut.* For Sigurd Hoel som for så mange av tidens intellektuelle, ble den for dyp, den avgrunn som skilte dem fra førkrigsidyllen. De oppgav å bygge broer. Derimot satte de, i første omgang, sitt håp og all sin tro til den russiske revolusjon. Var ikke *den* inngangen til en lykkeligere tidsalder i Europas historie? Den måtte være det.

I 1921 ble tidsskriftet *Mot Dag* startet, som organ for de unge norske revolusjonære. Sigurd Hoel sa ja til å bli redaktør, sammen med organisasjonslederen Erling Falk. Litteraturhistorikeren professor Gerhard Gran – alt annet enn en revolusjonær type – karakteriserte denne publikasjonen som «langt det beste tidsskrift Norge har sett»; han tenkte da på bladets glanstid de 2–3 første årene. Hoel var mann for å supplere Falks jernvilje og revolusjonære kraft; han gjorde det med sitt knitrende vidd og sin malisiøse satire.

Men det varte ikke lenge før det kom knuter på tråden, og disse knutene er karakteristiske for Sigurd Hoels holdning og egenart. Artikkel etter artikkel i bladet *Mot Dag* åpenbarte klart hvor Erling Falk stod (Hoel var på dette tidspunkt bortreist). En god bok er, heter det, alltid i pakt med det brede publikums smak; men vår «moderne» litteratur taler bare til en liten klikk innenfor overklassen, en klikk for hvem lediggang, utilstrekkelig mosjon og dårlig fordøyelse har skapt forskruethet i tankegang og følelse og forvirring i de sunne instinkter.

Så fort som råd var frala Hoel seg ansvaret for heftet, som han «meget nødig ville ha hvilende på sin samvittighet». I et følgende nummer brøt han staven over Erling Falks flate og doktrinære kultursyn. Kilden til diktningen er, hevder han, å finne i dikterens eget sinn, og han skal vurderes ut fra sitt forhold til *denne* kilden. Og så kommer en setning som må ha huet Falk ekstra ille: Den som lytter mer til massens krav enn til sitt eget indre er en falskner, og han skal dømmes som falskner.

Utover i de såkalte mellomkrigsår ble avstanden til de marxistiske dogmatikerne større og større. Fra Mot Dag-gruppen hadde Hoel brutt ut allerede ved midten av 1920-årene. I likhet med tallrike intellek-

173

tuelle radikalere kunne Sigurd Hoel tidlig beherske sin henrykkelse over «proletariatets diktatur». Han hadde ikke sett dette diktatur som noe annet enn en stasjon, *kanskje* nødvendig på veien til det klasseløse samfunn. Enda kjøligere ble holdningen etterhvert som proletariatets diktatur ble avløst av partidiktaturet og – verre og verre – dette i sin tur av énmannsdiktaturet.

Sovjet og Moskvaprosessene

Lenge hadde han vondt for å oppgi, definitivt, håpet om en endring i kursen; han hadde satset så mye på det håpet. Men langsomt skjønte han at veien frem til det sosialistiske tusenårsriket ville bli meget lang. Skuespillet *Mot muren* er en av stasjonene på veien.

Med Moskvaprosessene, den første i 1936, og med blodbadene *de* førte med seg, var målet fullt. Ved dette tidspunkt hadde jo også Hitler-barbariet avslørt sitt sanne ansikt. For Sigurd Hoel blottla prosessene til bunns hva de stalinistiske metoder og den stalinistiske mentalitet innebar. Ensretting og angiveri, løgn og terror og trellesinn. Nå var det ikke lenger antydning av forbehold i Hoels indignasjon.

Om og om igjen sa han ifra. Ikke så vilt snerrende som Arnulf Øverland, men med tyngre skyts. Han gjorde det i romaner, han gjorde det i sin kritikervirksomhet, han gjorde det i foredrag, i avis- og tidsskriftartikler. Var ikke det som skjedde i Sovjet et langt farligere slag for fremskrittet i verden enn Mussolinis seier og en eventuell tapt krig i Spania sammenlagt? Sigurd Hoel var ikke i tvil om svaret.

Med årene forsvant tvilen totalt. I et sentralt essay fra 1945, trykt i *Tanker i mørketid,* heter det:

> Det kollektive i all ære. Men det kan aldri bli noe mål i seg selv, like lite som staten er noe mål i seg selv. Den kollektivisme vi holder på og vil ha del i, er den som – over mange bakker og daler – fører oss mot fremtidsmålet: det frie menneske.

Ikke et øyeblikk glemte han oppgjøret med den individualisme som er

174

seg selv nok. Men den aggressive kollektivismen i tiden måtte ikke få overskygge det viktigere; det viktigste.

Året etter at Moskvaprosessene var kommet grusomt i gang, skrev Hoel i tidsskriftet *Veien frem* et lite essay han kalte *Hvor går veien?* Der stilte han opp en oversikt over alle de lyseblå illusjonene det siste kvarte århundret hadde ribbet ham for. Kort regnet han opp de viktigste skuffelsene og nederlagene.

For det første verdenskrigen.

For det andre revolusjonenes sammenbrudd i Tyskland, Østerrike og Ungarn.

For det tredje Mussolinis seier i Italia og erobringen av Etiopia.

For det fjerde nederlaget i den spanske borgerkrig.

For det femte Moskvaprosessene.

Samme år, 1937, trykket han sitt første store essay om *Den annen Moskvaprosess*, et essay som innleder *Tanker mellom barken og veden*, 1955.

Bakgrunnen er Sigurd Hoels enorme skuffelse over det han måtte betrakte som et forræderi mot revolusjonen i Russland. Dertil kommer hans kanskje like heftige skuffelse over unnfallenheten i det hjemlige sosialdemokrati.

Ingen kan si at han la fingrene imellom. Han karakteriserte disse «svarte massemord» som et av de uhyggeligste fenomener i samtidshistorien, nær sagt like uhyggelige enten tilståelsene var riktige eller falske. Vi må – heter det – regne med at prosessene svinger frem og tilbake mellom to ytterpunkter: den klare, uforfalskede løgn og noe som nærmer seg sannhet. Og han tilføyer at i de tilfellene som på dette tidspunkt lar seg kontrollere, viser det seg at løgnen dominerer *hele* veien.

Han ender artikkelen – som nota bene ble skrevet i 1937 allerede – med å understreke at hvis graden av reaksjon i et land kan måles etter graden av løgn i den offentlige propaganda og de forskjellige rettsoppgjør, da er Sovjet-Samveldet den eneste stat i verden som i egenskap av reaksjonær stormakt med hell kan konkurrere med Hitler-Tyskland.

Siden – etter okkupasjonsårene – blir tonen om mulig enda beskere.

175

Hoel hadde i mellomtiden fått intimere kunnskap om det som var skjedd i Paradiset i øst.

Hva ble det til med alle de vakre løftene og forhåpningene? (heter det i essayet *Høyrereaksjon og venstrereaksjon*, 1946–47). Hva med fellesskolen og verdens frieste oppdragelse, *kvinnens* frigjøring, avskaffelsen av arveretten, avskrivningen av all imperialisme? Men aller bitrest blir Hoels harme idet han tar for seg medløperne hjemme i Norge. Neida, neida, roper de, vi går ikke god for alt det som skjer i Sovjet-Russland. Neida, neida . . . men tar vi offentlig avstand fra alt det der, så støtter vi bare Amerika . . .

Medløperne – disse menneskene som ikke engang vil innse hva som skjer med de frie åndsarbeiderne i Sovjet. Medløperne som *vet* at åndsarbeiderne er ethvert tyrannis farligste kritikere. Som *vet* at det stalinistiske Sovjet-Russland nettopp på dette punkt setter sjofelhetsrekord, idet de bestikker og truer: Gjør som jeg sier, si det jeg vil ha sagt, og du skal bli *privilegert*, kanskje til og med millionær.

Hva sier medløperne til dette?

Jo, utbryter Hoel, vi får oppleve den utrolige skam at en god del av åndsarbeiderne i den øvrige verden ser på kastreringen og jubler: Se hvor de betaler!

Mange i Norge brukte lignende ord om diktaturbarbariet. Men den mest utholdende var Sigurd Hoel. I artikkel etter artikkel, essay etter essay, foredrag etter foredrag. Før krigen og etter krigen. De fleste av de sentrale innleggene samlet han i *Tanker mellom barken og veden*. Etter Sigurd Hoels død har andre offentliggjort flere Hoel-innlegg, fremfor alle Leif Longum i *Ettertanker*, 1980.

Nazismen og nazistene

En enda bredere plass i Sigurd Hoels essayistiske forfatterskap inntar kampen mot nazismen.

Bredere både fordi de nazistiske og fascistiske kreftene lenge stod som de mest påtrengende fiender og fordi Hoel her tydelig så sammenhengen mellom terroren i det store og terroren i det små – tilknytningen til alt som hadde med barn og barndom å gjøre.

Sigurd Hoel ble da også en av de første skrivende nordmenn som til bunns gjennomskuet de nazistiske strømningene. I samlingen *Tanker i mørketid* samlet han artikler, essays og foredrag fra 1933 til frigjøringen i 1945. Boken spenner med andre ord over tiden fra Hitlers maktovertagelse til Hitlers død. Hoel gjør selv, i et forord, oppmerksom på at alt i boken, direkte eller indirekte, handler om nazismen.

Til å begynne med går han løs på pressen, norsk presse. Ta en artikkel om Ossietzsky; den er fra 1936. Der gjendriver Hoel noen gjengse norske påstander om mannen. 1. Ossietzsky er en jødisk kommunist, støttet av «den internasjonale jødiske kommunistkamarilja». 2. Ossietzsky er ingen fredsvenn av betydning. 3. Ossietzsky er landsforræder.

Artikkelen ender slik:

I snart fire år har det mektige nazi-Tyskland ført en forbitret kamp mot denne mannen. Alle midler er brukt. Det foreløpige resultat er: Han har fått nobelprisen, og er blitt et samlende symbol for frisinnede mennesker verden over.

Han er blitt et bevis, et bevis vi trengte, på den gamle setningen: ånd kan ikke drepes.

De fleste artiklene er fra flyktningeårene i Sverige, 1944–45; sentralt står *Kulturkamp og litteratur* og – især – *Om nazismens vesen*. Og nå er det Sigurd Hoel for alvor gir seg i kast med den oppgave å finne røttene til nazismen, en svær oppgave og en ubehagelig oppgave. Ikke bare fordi den handler om et ufyselig stoff, men fordi den krever en nærgående gransking i våre egne dyrebare sinn.

Hvorfor hadde nazismen en slik utrolig evne til å gripe om seg?

Fordi det i noen hver – noen hver av oss, sier Hoel – fins et lite punkt, ofte et meget kjært lite punkt, hvor det sitter en kime til noe som ligner nazismen ganske betenkelig, en kime vi har liten lyst til å sette lyset på. Hvis vi gjør *det*, vil det gå opp for oss at enhver syste-

177

matisk undertrykkelse gjennom lengre tid forandrer både den som undertrykker og den som undertrykkes.

Vi kan, summa summarum, hevde at *Tanker i mørketid* gir bakgrunnen for hovedverket om okkupasjonsårenes Norge: *Møte ved milepelen*, en roman som med sterkere ettertrykk enn noen annen norsk bok stiller spørsmål som disse:

Hvordan kunne det gå til at den og den ble nazist? I hvor høy grad har vi alle ansvaret for at enkelte ble slik som de ble? Hvor dypt stikker djevelskapen i oss alle? Ondskapen, maktbrynden, misunnelsen . . .

Dybdepsykologien

Dermed er vi inne på det felt der essayisten og stridsmannen (og dikteren) Sigurd Hoel gjorde sin ypperste, i hvert fall sin mest vidstrakte innsats: dybdepsykologien og barneårene.

Diktaturlandenes eksesser – i 1930-årene fremfor alt de nazistiske og fascistiske eksessene – måtte bidra til å skjerpe kravet om grundigere og mer hensynsløs gransking av menneskets vesen. Man lærte å se sammenhengen mellom terroren i det store og terroren i det små. Første verdenskrig hadde preparert jordbunnen. Blodstrømmen hadde åpenbart dunkle sider ved menneskets natur, sider man lenge hadde glemt eller halvglemt. En kritiker målte avstanden mellom før og nå ved hjelp av to spørsmål. Før 1914 spurte man: Hvordan skal jeg handle? Etter 1914 heter det: Hva er mennesket? Hvem er jeg?

Psykoanalysen ble den store hjelperen, og Sigurd Hoel var en av dem som mest helhjertet kom hjelperen i møte. Han gjør det ut fra den erkjennelse at når han og hans samtidige kolleger trenger inn i Sigmund Freuds tankeverden, da er dette ikke mindre rimelig enn at Ibsen og Bjørnson satte seg inn i spørsmålene om arvelighet og utviklingslære.

Den sindige forfatteren Sigurd Hoel, i likhet med den sindige universitetsmannen professor Harald Schjelderup, var én av årsakene til at psykoanalysens utskeielser og barnesykdommer gjorde relativt lite vesen av seg i Norge. Om og om igjen minner Hoel om at det på ingen måte er nødvendig å oppfatte dybdepsykologien som et livssyn, og enda mindre som et dogmatisk system. Først og fremst er den en samling av viten; dernest en metode, et redskap, som *kan* brukes i en livsanskuelses tjeneste. Han understreker også at ingen åndelig strømning har farget vår tids åndsliv sterkere enn den. Men Sigurd Hoel ville ikke vært Sigurd Hoel hvis han ikke hadde innledet sitt første store innlegg i debatten slik (1932, i tidsskriftet *Samtiden*, aldri trykt i noen Hoelbok), først saklig, knapt opplysende:

Det er på det nærmeste førti år siden psykoanalysen ble grunnlagt som metode og tenkemåte. Det er omtrent tretti år siden dens viktigste teoretiske resultater ble offentlig tilgjengelige. For 23 år siden, i 1909, var interessen for den nye psykologi blitt så levende, i Amerika, at Freud ble kalt over dit. Dette år anføres siden som en milepel ikke bare i amerikansk psykologisk forskning, men også i amerikansk litteratur.

Så kommer ironien, Sigurd Hoels beske ironi:

Til Norge nådde bevegelsen for en fem-seks år siden. En bredere interesse har begynt å vise seg i de siste par års tid. Disse opplysninger gir ingen vurdering av psykoanalysen. De gis bare for å vise hvor våkne vi her i Norge er for de kulturstrømningene som rører seg ute i Europa.

Et par år senere, 1934, utkom i København en bok som utvidet Sigurd Hoels syn på forholdet mellom psykoanalysen og de totalitære strømningene i tiden, de stalinistiske og de nazistiske. Boken het *Massenpsychologie des Fascismus*; forfatteren var en av Sigmund Freuds merkeligste, mest begavede og mest rebelske elever: den østerrikske flyktningen Wilhelm Reich. Sigurd Hoel skrev en større artikkel om mannen, i tidsskriftet *Fritt Ord* (heller ikke den trykt i noen av Hoels bøker); han brukte sterke ord – her, hos Reich, får man *se* de irrasjonelle krefter som ligger i dypet og er med på å bestemme det store politiske skuespill oppe i dagen.

Omtrent samtidig slo Wilhelm Reich seg ned i Norge; Sigurd Hoel gikk et par års tid i analyse hos ham – bildet av romanpersonen «den demoniske» dr. Ramstad, i *Fjorten dager før frostnettene*, gir et inntrykk av det motsetningsrike forholdet mellom de to.

Mangt og meget hos Wilhelm Reich tok Hoel etter hvert avstand fra; men det er hevet over tvil at Reich, med sin sterke og hensynsløse personlighet i flere år øvde en mektig innflytelse over den norske forfatteren, som over en rekke andre nordmenn. Reich var, for å sitere den fremste norske eleven, en inspirasjonskilde, et stridens eple og et forargelsens tegn; en magisk personlighet, langt mer enn en stringent tenker.

Til Reich støttet Hoel seg da han, i 1936, hevdet at Sigmund Freud med årene hadde utviklet seg til ikke så lite av en konservativ gammel herre: I en rekke senere arbeider godkjenner Freud et langt stykke på vei den konservative kristne, puritanske, påstand at kulturen bygger seg opp på bekostning av naturdriften – at kultur og natur for så vidt er motsetninger. Dermed er, utbryter Hoel, Sigmund Freud kommet i skade for å sette ny form på den gamle kristne og jødiske trossetning at naturen er farlig, ond og syndig.

Nåvel. Selv om Sigurd Hoel, i likhet med f.eks. Harald Schjelderup, med årene tok avstand fra Freud på en rekke punkter, ble han så vidt jeg kan se stående ved at ingen kritiker kan rokke ved de grunnleggende kjensgjerninger. Det er Sigmund Freud, fremfor alle, som har avslørt for oss det underbevisstes makt over bevisstheten. Han har avslørt seksualtabuets farlige virkninger på sinnet. Han har avslørt barndomsopplevelsenes betydning for det voksne menneske, de glemte opplevelser især.

Og jeg er – etter at jeg på ny har gått igjennom alt essayisten Sigurd Hoel har skrevet – ikke i tvil om at dette er grunnmotivet i hans vidstrakte virksomhet som folkeopplyser og stridsmann. Temaet går igjen i en lang rekke artikler, foredrag og intervjuer gjennom størsteparten av hans liv. Det står dessuten sentralt i nær sagt alle Hoels romaner fra

180

1930- og 40-årene, det vil si de årene da han stod i sin fulle kraft. Kanskje aller tydeligst og mest direkte uttrykte han seg i tidsskriftartikkelen *Hvor går veien?* (1936):

De siste 25 årene har vist at reaksjonen har en sikker bundsforvant i hvert enkelt menneskes sinn. Autoritetstro, angst, gudsfrykt, lydighet er innpodet i oss alle fra før vi hadde lært å gå.

Vil vi ikke oppleve altfor mange skuffelser og tilbakeslag på veien frem, så tror jeg altså det blir nødvendig i en ganske annen grad enn hittil å arbeide for en omformning av menneskenes sinn fra grunnen av. Fra grunnen av, det vil si: fra den tidligste barndom av. I en katastrofal grad har alle vi på venstre fløy latt barneoppdragelsen og alt som derhen hører seile sin egen sjø. Men det er i barndommen at menneskene formes. Det som kommer til siden, blir bare større eller mindre forandringer av det som allerede *er*.

Et nytt samfunn vil i løpet av kort tid skape en ny mennesketype, sa de gamle.

Det er mulig. Men de *gamle* mennesketypene gjør overgangen vanskeligere og lengre – gjør den til en 40 års ørkenvandring; ingen nulevende skal få skue Kana'ans land.

Sikkert er det derimot at kan vi allerede på forhånd skape en ny mennesketype, mindre angst og lydig enn vi, oppdratt i frihet, uten de skremsler og den tvang som gjør menneskets hjertes tanke feigt fra barndommen av – så vil denne mennesketypen uungåelig skape et nytt samfunn.

Ti år senere (1946) presiserer han det samme i et intervju:

Det er min påstand at det *ikke* er den økonomiske politikken som blir det viktigste i fremtiden, den avgjørende kamp vil skje på det åndelige område.

Barneoppdragelsen er den avgjørende prøvesten for utviklingen mot større frihet og menneskelykke. Hvis vi ikke frir barnet for autoritet, straff og frykt, kantrer selv de største sosiale omveltninger.

181

Betegnende for Sigurd Hoel – for både klokskapen og den umettelige intellektuelle nysgjerrigheten i ham – er det at han på sine eldre dager viste seg mottagelig for den i Norge ignorerte vitenskap som heter parapsykologi (telepati, clairvoyance etc.). I likhet med den gamle Sigmund Freud ble Hoel med årene på det rene med at her lå lokkende oppgaver og ventet. I det dype hav der bevisstheten bare utgjør overflaten, burde – mente han – også andre enn psykoanalytikere dukke ned. Fra nye utgangspunkter og med nye hypoteser.

I motsetning til f.eks. Aksel Sandemose, i motsetning også til Harald Schjelderup, Hoels gamle kampfelle udi psykoanalysen, i Norge den store pioner på parapsykologiens felt, kom Hoel dessverre aldri så langt at han skrev om denne vitenskapen. Bebreidet man ham dette – jeg tillot meg iblant å gjøre det – svarte han helst: Nei, *det* er jeg for gammel til. Jeg – Sigurd Hoel – er overbevist om at parapsykologien i årene som kommer, vil virke minst like revolusjonerende som psykoanalysen, og jeg har selv gjort merkelige parapsykologiske erfaringer, men jeg har hverken tid eller overskudd til å gjøre noe ut av dem. Den som skal utrette noe på dette svære feltet – kunne han si – må sette alle sine krefter inn på oppgaven. Jeg kan det ikke, jeg må fullføre *mine* oppgaver. –

Likevel bør det i rettferdighetens interesse tilføyes at parapsykologiske fenomener spiller en rolle i flere av Hoels senere romaner, fremfor alle *Trollringen* og *Ved foten av Babels tårn*.

Religion

Jeg tror han kunne svart noe lignende når det ble spørsmål om hans syn på religionen. Nærmere bestemt kristendommen. Enda nærmere bestemt: den konfesjonsbundne, doktrinære kirkedom.

På dette felt fikk han likevel sagt ganske mye.

Han kunne gjøre det i sin litteraturkritikk, for eksempel under omtalen av Gabriel Scotts romaner. Eller Johan Bojers. Eller Olav Duuns. Eller franskmannen André Gides. Han kunne gjøre det i en grundig omtale av Bucharins bok *Gud og klassekamp*. Han siterer den russiske kommunisten som vil ha det til at religion og kommunisme er uforenlige. Hvortil Hoel lakonisk spør: Mon Bucharins visshet skulle komme av at han med religion egentlig mener teologi og kirke? (1923). Eller et par år senere i et reisebrev, i 1926:

Ansikt til ansikt med de siste ting stammer vi og blir stumme. Deri ligger vår heder – og vår avmakt. Folk flest er som barn, de forlanger svar.
Kirken gir svar. Vi vet at svaret er galt – de mange kan ikke vite det, de synes kirken gir dem den hjelp vi narrer dem for.
Veien er ennå lang.

Et essay fra 1923, trykt i *Tanker fra mange tider,* bærer den tankevekkende tittel *Djevelen.* Det er der vi finner et av de første vitnesbyrd om Sigurd Hoels makeløse evne til å formulere sentrale sannheter kortfattet. Han polemiserer mot Georg Brandes som på sine gamle dager lot seg lure til å mene at historien om Jesus fra Nasaret er et vandresagn, et samlepunkt for en del gamle myter om Gud-Sønnen. Hoel sier: «Hvis Jesus ikke har levd, måtte Matteus og Lukas være verdens største diktere, hva evangeliene tydelig viser at de ikke var.»

Hvorpå Hoel gir et knapt riss av den antiklerikale og farlige opprøreren Jesus, hvis virksomhet for en vesentlig del var rettet mot datidens dogmatiserende prester og teologer.

Nå kan vi saktens sette et digert spørsmålstegn ved Sigurd Hoels påstand om at djevelen på Jesu tid ennå ikke hadde fått de store dimensjoner. Men det spørsmålet må vi la ligge, så meget mer som det ikke er sentralt i Hoels sammenheng. Det sentrale er fortellingen om hvordan djevelen utvikler seg og utfolder seg, en fortelling som lar seg antyde med disse Hoel-linjene: – I sin virksomhet var Jesus en fiende av presteskapet; i sin forkynnelse var han en talsmann for de lyse og gode makter i Livet. Når vi da tenker på at hans lære siden skulle forvandles til den mest ondskapsfulle og raffinerte dyrkelse av djevelen som verden enda hadde sett, og at et nytt presteskap skulle ri seg frem på denne samme djevel til en makt som omspente jorden, da må vi erkjenne at djevelen i sannhet eksisterer, og at hans makt er stor. – Når Sigurd Hoel i samme essay hevder om kristendommen, i ortodoks forstand, at den i den protestantiske verden er sunket ned til å bli en religion for misjonærer og gamle damer og for tilbakeliggende lag utover i bygdene, da vil mange lesere mene at han på vesentlige punkter er en forenklingens mann. Men de som har fått en slik oppfatning av Sigurd Hoel, bør kikke på f.eks. essayet om Jeanne d'Arc, også det tatt opp i *Tanker fra mange tider*. Denne artikkelen er en av de mange som røper at Hoel kan føre en diskusjon med seg selv, ikke bare med andre. Han kan være skeptiker til og med i sitt syn på skeptikere og skeptisisme. Han skriver om den franske bondepiken uten å tro – i motsetning til en av Hoels helter, Anatole France – at hun var en brikke i kirkens lumske spill. Hoel er bondegutt nok til å vite at trollkjerringer, unge eller gamle, ikke alltid lar seg beseire av fornuftens stemme.

På sine eldre dager, da Sigurd Hoel lenge hadde vært på det rene med at både han og hans kampfeller i ungdommens år hadde tillagt de irrasjonelle krefter altfor liten betydning, skrev han et meget enkelt, men ikke desto mindre oppsiktvekkende essay *Religiøs følelse uten Gud*, offentliggjort i danske og svenske aviser 1955, men så vidt jeg vet ikke i noen norsk publikasjon, før Leif Longum tok det opp i *Ettertanker; etterlatte essays og artikler*, 1980.

Her drøfter Sigurd Hoel den holdning en stor del av kulturradikalerne gjennom lange tider har tatt til den såkalte religiøse følelse. I kvalme – sier han – over å se denne følelsen kanalisert i én bestemt retning og brukt i mørke makters tjeneste har de fortrengt eller fornektet denne følelsen hos seg selv, har derved gjort sitt eget liv fattigere og har vanskeliggjort for seg selv kontakten med vanlige mennesker.

Han går lenger. Han hevder, både ut fra egen erfaring og på grunnlag av samtaler med andre, at denne følelsen, eller rettere disse følelsene, er like utbredt blant ikke-kristne som blant kristne.

Sigurd Hoel legger i denne sammenheng frem en påstand: Religiøs følelse er ikke på noen måte identisk med å tro på Gud (med «Gud» mener han her tydeligvis de bokstavtroendes gudsbegrep). Snarere er den i slekt med mystikernes tro. Ifølge Hoel brukte Thomas Mann glosen «ein ozeanisches Gefühl»; selv sier Hoel at han hos lyrikere som Pär Lagerkvist og Arnulf Øverland finner en religiøs følelse langt rikere enn noen prest eller biskop er i stand til å gi uttrykk for.

Intet under at Helge Krog i sin nekrolog om vennen (*Vinduet* 1960) understreker at Sigurd Hoel var religiøs. Av naturlig frykt for å bli misforstått tilføyde Krog noen linjer som ligger tett opp til Hoels egen forklaring:

> Vi innbilte oss i ungdommens år at vi var antireligiøse, i det minste irreligiøse. Vi var nærsynte og forvekslet begrepet religiøs med vår provinsielle, absurde, men offisielt fastlagte trosbekjennelse. Og *den* «var for oss intellektuelt dypt forulempende og etisk frastøtende». Jeg husker ennå, heter det hos Helge Krog, hvor perpleks jeg ble da jeg i 20-årsalderen leste en setning av Bernard Shaw – han som kalte kirken et Satans hus – omtrent sålydende: Et menneske uten religiøsitet må være en toppmålt kjeltring!

I hvert fall kunne Sigurd Hoel av fullt hjerte og med hele sin hjernes overbevisning underskrevet noen Krog-ord om at når alt kommer til alt finner vi kanskje nettopp blant kristendomsforakterne de dypest religiøse blant oss: de revolterer mot kristendommens rå forflating og vulgarisering av alle religiøse kvaliteter.

Jeg vil her presisere at selv om Sigurd Hoel med årene så *klarere* enn han hadde gjort i ungdommen, så er den udoktrinære holdningen ikke i og for seg noe nytt. Hoels litteraturkritikk i 1920-årene, den gang da han stod på høyden som kritiker, åpenbarer samme holdning.

Beredskapslovene

Sitt mest effektive slag for individets rettigheter og mot autoritære tendenser leverer Sigurd Hoel, noen år etter okkupasjonstiden, da beredskapslovene stod på tapetet.

Han gjorde det i avisartikler og foredrag og fremfor alt i et essay som

185

hører til det viktigste i samlingen *Tanker mellom barken og veden:* Den svarte loven, 1950.

Sin gode vane tro begynner han angrepet lett ironisk:

På bokhandlerdiskene rundt om i byen ligger der i de siste dagene til salgs noen tynne hefter som – om mulig – har enda større interesse enn julelitteraturen. Det er de nye lovforslagene om dødsstraff i fredstid, arrestasjon uten lov og dom og totalitær pressesensur.

Forslagene inneholder en rekke andre ting også, interessante ting det aller meste. Disse heftene bør kjøpes av flest mulig. Det bør til en viss grad interessere oss norske borgere hva regjeringen har tenkt å gjøre hvis den blir nervøs.

Dette var ironien. Men det varer ikke lenge – én side omtrent – før ironien blir avløst av patos. Det gjør den når Sigurd Hoel med rene ord, så tydelige som noen kan ønske seg dem, hevder at lovforslaget om dødsstraff og standrett betyr et uhyggelig tilbakeskritt i kultur. Må det være tillatt å minne om – heter det – at Finland, som også har vært utsatt for en del påkjenninger, *ikke* har innført dødsstraffen.

Harme er det også som finner uttrykk i noen linjer etter ordene om dødsstraff og standrett. Her slynger Hoel ut den påstand at enda langt verre er de *andre* bestemmelsene, de om arrestasjon på mistanke, uten lov og dom, og de om pressesensuren. Her er det, utbryter han, ikke et tilbakeskritt det er tale om; her gjør lovkomité og regjering helomvending, snur ryggen til norsk grunnlov og alt som kan kalles fri demokratisk rettsstat, og marsjerer inn på den brede totalitære hovedvei.

Lykkeligvis kan en stadig knurrende Hoel i 1952, to år senere, tilføye en etterskrift som går ut på at hverken tilhengerne eller motstanderne av loven seiret. Man fant frem til et kompromiss. På «en høflig måte» forkastet Stortinget den verste del av loven.

Vi kan visst trygt legge til at når det gikk som det gikk, kunne Sigurd Hoel tilskrive sin egen innsats en vesentlig del av æren for dette.

Men samme år, i et essay om Vår litterære arv, kan han konstatere at vi fremdeles for en stor del styres etter Quisling-forordninger. Og han tillater seg i den anledning å stille et pinlig spørsmål: Hvordan har det kunnet foregå at vi på få år er blitt forvandlet fra et folk av stribukker til et folk av sauer?

Det levande förflutna

Mye av det polemikeren i sine senere år satte på papiret, ble av mange lesere betraktet som surhet.

Det var – oftest – alt annet enn surhet. Det var desperasjon; grenseløs skuffelse. Skuffelse over de store idéenes og idealenes forfall, de idéer og idealer Sigurd Hoel hadde vokst opp med, den gang da vårt arme århundre var blottende ungt. Mot slutten av 1940-årene kunne han skrive – i fortvilelse – om de elementære menneskerettigheter som «står lavere i kurs i dag enn i 1914», tross all den kamp som har vært ført for å forsvare dem. Og han kunne utbryte:

«Hver eneste en av oss – eller de fleste av oss da – er blitt mer eller mindre brutalisert, åpent eller i det skjulte, av de brutale tidene.»

Vi kan spørre:

Hvor fikk stridsmannen kraften fra? Kraften til å holde ut, tiår etter tiår, i kampen for redelighet, individets rettigheter, menneskets frihet. Samtidig med at han fant tid til sin diktning, sin kritikervirksomhet, sitt mangfoldige folkeopplysningsarbeid, sin sprogstrid, sin kamp for trykkefrihet, sin gjerning som rådgiver – for venner og for forfattere.

Ikke mulig å svare fyllestgjørende på det spørsmålet. Jeg skal ikke engang gjøre noe forsøk. Men det er min overbevisning at han ikke minst suget kraft av røttene i «det levande förflutna»; *norsk* fortid fremfor alt. Gripende er det å se et løsrevet notat i et romanfragment fra 1960, Sigurd Hoels dødsår. «Det han vil skrive. Gammelt tun. Gammelt liv. Tusen år gammelt, selv om det bare er hundre.» Med visse mellomrom, etter streiftog ut i det nye – heter det i et essay om eventyrene – kan det sees hvordan vår kunst og hele vårt åndsliv vender tilbake, drevet av et riktig instinkt, og søker samling og fornyelse i det hjemlige, i det som var og alltid vil være norsk, og dermed ekte og

187

naturlig for oss. Hva eventyrene angår, bruker Hoel ord som få hadde ventet fra hans penn. Han nærer ikke den ringeste tvil om at dette er *det* norske litterære verk fra de siste par århundrer som har hatt den mangfoldigste og den største *samlede* betydning – for norsk diktning og forskning, for norsk nasjonal følelse og selverkjennelse, ja til og med for norsk praktisk dagligliv.

Eller, for å velge et annet eksempel i fleng, ta en avisartikkel om Kristin Lavransdatter og Erlend og Simon Darre:

> Det kan vel være en oppgave jevnstor med de største, å styrke samfølelsen med de mennesker som bodde her i landet før oss, styrke våre røtter i den jord der vi alle gror. Vi er av ett blod.

Han, eksperten på ny europeisk og amerikansk litteratur, redaktør av den berømte gule serie, *han* hører ikke hjemme mellom de «historieløse». Han legger for eksempel ikke skjul på at han finner til og med de svakere islandske ættesagaene mer underholdende enn 99 prosent av moderne romaner.

Tanker fra mange tider, 1948, der essayene om eventyrene og sagaene er trykt opp, gir et inntrykk av folkeopplyseren Sigurd Hoel, den kunnskapsfylte, den kunnskapsglupske og kunnskapsdryssende. Som helhet er boken et angrep på en av de norske yndlingslastene: båstenkningen. Artiklene er – heter det – skrevet og samlet ut fra den forvissning at allmenn uvitenhet i stigende grad er blitt en del av allmenndannelsen.

I *Tanker om norsk diktning,* 1955, er samlet et utvalg av Sigurd Hoels litteraturkritiske gjerning i dagspressen. Et bedrøvelig magert utvalg. Likevel finner han her plass for den menneskelige varme, den begeistrings- og beundringsevne, den *takknemlighet,* som han så ofte ellers måtte undertrykke. Men som vel var det dypeste i ham. En omtale av Hoels litterære kritikk fortjener en egen bok. Jeg kan bare henvise til min *Kritikere i en gullalder* (1982), der Hoels virksomhet som anmelder har fått bred omtale; dessverre ikke så bred som jeg kunne ønsket. Her er samlet mye vi burde ta vare på. Jeg nøyer meg med et par antydninger.

188

Det var en av hans fineste kritikeregenskaper at han kunne, og gjerne ville, skissere linjer og sammenheng. Hans sterke hukommelse gjorde det mulig for ham dels å plassere en ny bok i rekken av vedkommende forfatters øvrige verker, dels å jevnføre den med bøker av andre forfattere. Besynderlige individer – ganske mange – tror at man reduserer en dikter, om man nevner hans åndelige stamfedre. Sigurd Hoel delte ikke den troen. Og han visste at *alle* skrivende mennesker har åndelige stamfedre, som ikke skal ignoreres. Det svundne kaster lys over det nærværende; det nærværende kaster lys over det svundne.

Vi har vel i Norge eid 2–3 litterære kritikere som kan hamle opp med Sigurd Hoel når det gjelder innsikt og utsyn, artistisk sans og psykologisk evne. Ingen overgår ham.

Jeg slutter med noen setninger fra det første utvalget av forord til den gule serien, 1939:

Tiden er stor. Gestapo er stort, GPU er stort, paradene i Berlin og Moskva er store. Tysklands konsentrasjonsleirer, Russlands kollektiver og isolatorer, Amerikas truster, Englands flåte, alt dette er store ting.

En bok er en liten ting. En skjønnlitterær bok er dessuten komisk, et leketøy for ørkesløse overklassedamer.

Og allikevel –

Kurt Tucholsky har sagt:

«Les bøker! De er frihetenes øer i et hav av sensur!»

Les bøker. I en tid da brutaliteten og forakten for menneskeliv vokser og vokser, kan bøkene minne oss om en enkel gammel setning:

Et menneskes liv er en hellig ting.

Innhold

Date Due
